ESTIGMA:
NOTAS SOBRE A MANIPULAÇÃO DA IDENTIDADE DETERIORADA

gen
Grupo
Editorial
Nacional

ERVING GOFFMAN

Notas sobre a Manipulação da Identidade Deteriorada

Quarta edição

Tradução
Márcia Bandeira de Mello Leite Nunes

- **Atendimento ao cliente: (11) 5080-0751 | faleconosco@grupogen.com.br**

LTC | Livros Técnicos e Científicos Editora Ltda.
Uma editora integrante do GEN | Grupo Editorial Nacional
Travessa do Ouvidor, 11
Rio de Janeiro – RJ – CEP 20040-040
www.grupogen.com.br

CIP-BRASIL. CATALOGAÇÃO-NA-FONTE
SINDICATO NACIONAL DOS EDITORES DE LIVROS, RJ.

G548e
4.ed.

Goffman, Erving, 1922-1982
Estigma : notas sobre a manipulação da identidade deteriorada / Erving Goffman ; [tradução de Márcia Bandeira de Mello Leite Nunes]. - 4.ed. - [Reimpr.]. - Rio de Janeiro : LTC, 2022.

Tradução de: Stigma : notes on the management of spoiled identity
ISBN 978-85-216-1255-1

1. Estigma (Psicologia social). 2. Identidade (Psicologia). I. Título.

08-0471. CDD: 155.92
CDU: 159.923.33

SUMÁRIO

PREFÁCIO

Há mais de uma década vem sendo apresentada uma quantidade razoável de trabalhos sobre estigma — a situação do indivíduo que está inabilitado para a aceitação social plena.[1] A este trabalho foram acrescentados, vez por outra, estudos clínicos úteis[2] e seu quadro de referência aludiu, continuamente, a novas categorias de pessoas.[3]

Neste ensaio[4] desejo rever alguns trabalhos sobre o estigma, especialmente alguns trabalhos populares, para ver o que eles podem fornecer à sociologia. Será realizado um exercício no sentido de separar o material sobre o estigma de fatos vizinhos, de mostrar como este material pode ser descrito, de uma forma econômica no interior de um único esquema conceptual, e de esclarecer a relação do estigma com a questão do

---

[1] Mais especialmente entre os sociólogos, E. Lemert; entre os psicólogos, K. Lewin, F. Heider, T. Dembo, R. Baker e B. Wright. Ver especialmente B. Wright, *Physical Disability — A Psychological Approach* (Nova York, Harper & Row, 1960), que me forneceu várias indicações para citação e muitas referências úteis.

[2] Por exemplo, F. Macgregor *et al.*, *Facial Deformities and Plastic Surgery* (Springfield, Ill.: Charles C. Thomas, 1953).

[3] Por exemplo, C. Orbach, M. Bard e A. Sutherland, "Fears and Defensive Adaptations to the Loss of Anal Sphincter Control", *Psychoanalitical Review*, XLIV (1957), 121-175.

[4] Uma versão resumida pode ser encontrada em M. Greenblatt, D. Levinson e R. Williams, *The Patient and the Mental Hospital* (Nova York: Free Press of Glencoe, 1957), pp. 507-510. Uma versão posterior foi apresentada na *MacIver Lecture* pronunciada na *Southern Sociological Society*, Louisville, Kentucky, em 13 de abril de 1962. O auxílio para a versão atual foi recebido do *Center for the Study of Law and Society*, Universidade da Califórnia, Berkeley, sob a forma de um *grant* do President's Committee on Juvenile Delinquency.

desvio. Essa tarefa me permitirá utilizar um conjunto específico de conceitos: aqueles relacionados à "informação social", a informação que o indivíduo transmite diretamente sobre si.

O Autor

Querida Senhorita Lonelyhearts:*

Tenho 16 anos e não sei como agir. Gostaria muito que a senhora me aconselhasse. Quando eu era criança não era muito ruim porque me acostumei com os meninos do quarteirão que caçoavam de mim, mas agora eu gostaria de ter namorados como as outras meninas e sair nas noites de sábado, mas nenhum rapaz sairá comigo porque nasci sem nariz — embora eu dance bem, tenha um tipo bonito e meu pai me compre lindas roupas.

Passo o dia inteiro sentada, me olhando e chorando. Tenho um grande buraco no meio do meu rosto que amedronta as pessoas e a mim mesma, e não posso, portanto, culpar os rapazes por não quererem sair comigo. Minha mãe me ama muito, mas chora muito quando olha para mim.

Que fiz eu para merecer um destino tão terrível? Mesmo que eu tivesse feito algumas coisas ruins, não as fiz antes de ter um ano de idade, e eu nasci assim. Perguntei a papai e ele disse que não sabe, mas que pode ser que eu tenha feito algo no outro mundo, antes de nascer, ou que eu esteja sendo punida pelos pecados dele. Não acredito nisto porque ele é um homem muito bom. Devo me suicidar?

Sinceramente,

Desesperada

(Extraído de *Miss Lonelyhearts*, de Nathanael West, pp. 14-15. Copyright 1962 por New Directions. Reimpresso por permissão de New Directions, Publishers.)

---

* Corações Solitários. (N.T.)

ANTROPOLOGIA SOCIAL

Diretor: Gilberto Velho

História Social da Criança e da Família (2ª ed.)
Philippe Ariès
Uma Teoria da Ação Coletiva
Howard S. Becker
Carnavais, Malandros e Heróis (3ª ed.)
Roberto Da Matta
Bruxaria, Oráculos e Magia entre os Azande
E.E. Evans-Pritchard
Elementos de Organização Social
Raymond Firth
A Interpretação das Culturas
Clifford Geertz
Estigma: Notas sobre a Manipulação
da Identidade Deteriorada (4ª ed.)
Erving Goffman
O Palácio do Samba
Maria Júlia Goldwasser
A Sociologia do Brasil Urbano
Anthony e Elizabeth Leeds
Cultura e Razão Prática
Marshall Sahlins
Movimentos Urbanos no Rio de Janeiro
Carlos Nelson Ferreira dos Santos
Arte e Sociedade
Gilberto Velho
Desvio e Divergência (4ª ed.)
Gilberto Velho
Individualismo e Cultura: Notas para uma
Antropologia da Sociedade Contemporânea
Gilberto Velho
Guerra de Orixá (2ª ed.)
Yvonne M.A. Velho

1. ESTIGMA e IDENTIDADE SOCIAL

Os gregos, que tinham bastante conhecimento de recursos visuais, criaram o termo estigma para se referirem a sinais corporais com os quais se procurava evidenciar alguma coisa de extraordinário ou mau sobre o *status* moral de quem os apresentava. Os sinais eram feitos com cortes ou fogo no corpo e avisavam que o portador era um escravo, um criminoso ou traidor — uma pessoa marcada, ritualmente poluída, que devia ser evitada, especialmente em lugares públicos. Mais tarde, na Era Cristã, dois níveis de metáfora foram acrescentados ao termo: o primeiro deles referia-se a sinais corporais de graça divina que tomavam a forma de flores em erupção sobre a pele; o segundo, uma alusão médica a essa alusão religiosa, referia-se a sinais corporais de distúrbio físico. Atualmente, o termo é amplamente usado de maneira um tanto semelhante ao sentido literal original, porém é mais aplicado à própria desgraça do que à sua evidência corporal. Além disso, houve alterações nos tipos de desgraças que causam preocupação. Os estudiosos, entretanto, não fizeram muito esforço para descrever as precondições estruturais do estigma, ou mesmo para fornecer uma definição do próprio conceito. Parece necessário, portanto, tentar inicialmente resumir algumas afirmativas e definições muito gerais.

Noções Preliminares

A sociedade estabelece os meios de categorizar as pessoas e o total de atributos considerados como comuns e naturais para os membros de cada uma dessas categorias. Os ambientes sociais estabelecem as categorias de pessoas que têm probabilidade de serem neles encontradas. As rotinas de relação social em ambientes estabelecidos nos permitem um relacionamento com "outras pessoas" previstas sem atenção ou reflexão particular. Então, quando um estranho nos é apresentado, os primeiros aspectos nos permitem prever a sua categoria e os seus atributos, a sua "identidade social" — para usar um termo melhor do que "*status* social", já que nele se incluem atributos como "honestidade", da mesma forma que atributos estruturais, como "ocupação".

Baseando-nos nessas preconcepções, nós as transformamos em expectativas normativas, em exigências apresentadas de modo rigoroso.

Caracteristicamente, ignoramos que fizemos tais exigências ou o que elas significam até que surge uma questão efetiva. Essas exigências são preenchidas? É nesse ponto, provavelmente, que percebemos que durante todo o tempo estivemos fazendo algumas afirmativas em relação àquilo que o indivíduo que está à nossa frente deveria ser. Assim, as exigências que fazemos poderiam ser mais adequadamente denominadas demandas feitas "efetivamente", e o caráter que imputamos ao indivíduo poderia ser encarado mais como uma imputação feita por um retrospecto em potencial — uma caracterização "efetiva", uma *identidade social virtual*. A categoria e os atributos que ele, na realidade, prova possuir, serão chamados de sua *identidade social real.*

Enquanto o estranho está à nossa frente, podem surgir evidências de que ele tem um atributo que o torna diferente de outros que se encontram numa categoria em que pudesse ser incluído, sendo, até, de uma espécie menos desejável — num caso extremo, uma pessoa completamente má, perigosa ou fraca. Assim, deixamos de considerá-lo criatura comum e total, reduzindo-o a uma pessoa estragada e diminuída. Tal característica é um estigma, especialmente quando o seu efeito de descrédito é muito grande — algumas vezes ele também é considerado um defeito, uma fraqueza, uma desvantagem — e constitui uma discrepância específica entre a identidade social virtual e a identidade social real. Observe-se que há outros tipos de discrepância entre a identidade social real e a virtual como, por exemplo, a que nos leva a reclassificar um indivíduo antes situado numa categoria socialmente prevista, colocando-o numa categoria diferente mas igualmente prevista e que nos faz alterar positivamente a nossa avaliação. Observe-se, também, que nem todos os atributos indesejáveis estão em questão, mas somente os que são incongruentes com o estereótipo que criamos para um determinado tipo de indivíduo.

O termo estigma, portanto, será usado em referência a um atributo profundamente depreciativo, mas o que é preciso, na realidade, é uma linguagem de relações e não de atributos. Um atributo que estigmatiza alguém pode confirmar a normalidade de outrem, portanto ele não é, em si mesmo, nem honroso nem desonroso. Por exemplo, alguns cargos na América obrigam os seus ocupantes que não tenham a educação universitária esperada a esconderem isso; outros cargos, entretanto, podem levar os que os ocupam e que possuem uma educação superior a manter isso em segredo para não serem considerados fracassados ou estranhos. De modo semelhante, um garoto de classe média pode não ter escrúpulos de ser visto entrando numa biblioteca; entretanto, um criminoso profissional escreve:

> "Lembro-me de que, mais de uma vez, por exemplo, ao entrar numa biblioteca pública perto de onde eu morava, olhei em torno duas vezes antes de realmente entrar, para me certificar que nenhum de meus conhecidos estava me vendo."[1]

Assim, também um indivíduo que deseja lutar por seu país pode esconder um defeito físico por recear que o seu estado físico seja desacreditado. Posteriormente, ele mesmo, amargurado e tentando sair do Exército, pode conseguir admissão no hospital militar, onde se exporia ao descrédito se descobrissem que não tem realmente qualquer doença grave.[2] Um estigma é, então, na realidade, um tipo especial de relação entre atributo e estereótipo, embora eu proponha a modificação desse conceito, em parte porque há importantes atributos que em quase toda a nossa sociedade levam ao descrédito.

---

[1] T. Parker e R. Allerton, *The Courage of His Convictions* (Londres, Hutchinson & Co., 1962), p. 109.

[2] Em relação a esse ponto, ver a crítica feita por M. Meltzer, "Countermanipulation through Malingering", em A. Biderman e H. Zimmer, eds., *The Manipulation of Human Behaviour* (Nova York: John Wiley & Sons, 1961), pp. 277-304.

O termo estigma e seus sinônimos ocultam uma dupla perspectiva: Assume o estigmatizado que a sua característica distintiva já é conhecida ou é imediatamente evidente ou então que ela não é nem conhecida pelos presentes nem imediatamente perceptível por eles? No primeiro caso, está-se lidando com a condição do *desacreditado*, no segundo com a do *desacreditável*. Esta é uma diferença importante, mesmo que um indivíduo estigmatizado em particular tenha, provavelmente, experimentado ambas as situações. Começarei com a situação do *desacreditado* e passarei, em seguida, à do *desacreditável*, mas nem sempre separarei as duas.

Podem-se mencionar três tipos de estigma nitidamente diferente. Em primeiro lugar, há as abominações do corpo — as várias deformidades físicas. Em segundo, as culpas de caráter individual, percebidas como vontade fraca, paixões tirânicas ou não naturais, crenças falsas e rígidas, desonestidade, sendo essas inferidas a partir de relatos conhecidos de, por exemplo, distúrbio mental, prisão, vício, alcoolismo, homossexualismo, desemprego, tentativas de suicídio e comportamento político radical. Finalmente, há os estigmas tribais de raça, nação e religião, que podem ser transmitidos através de linhagem e contaminar por igual todos os membros de uma família.[3] Em todos esses exemplos de estigma, entretanto, inclusive aqueles que os gregos tinham em mente, encontram-se as mesmas características sociológicas: um indivíduo que poderia ter sido facilmente recebido na relação social quotidiana possui um traço que pode-se impor à atenção e afastar aqueles que ele encontra, destruindo a possibilidade de atenção para outros atributos seus. Ele possui um estigma, uma característica diferente da que havíamos previsto. Nós e os que não se afastam negativamente das expectativas particulares em questão serão por mim chamados de *normais*.

As atitudes que nós, normais, temos com uma pessoa com um estigma, e os atos que empreendemos em relação a ela são bem conhecidos na medida em que são as

[3] Na história recente, especialmente na Inglaterra, o *status* de classe baixa funcionava como um importante estigma tribal. O pecado dos pais, ou pelo menos seu ambiente, eram pagos pela criança se ela ultrapassava, de maneira inadequada, a sua condição social inicial. A manipulação do estigma de classe é, naturalmente, um tema central do romance inglês.

respostas que a ação social benevolente tenta suavizar e melhorar. Por definição, é claro, acreditamos que alguém com um estigma não seja completamente humano. Com base nisso, fazemos vários tipos de discriminações, através das quais efetivamente, e muitas vezes sem pensar, reduzimos suas chances de vida. Construímos uma teoria do estigma, uma ideologia para explicar a sua inferioridade e dar conta do perigo que ela representa, racionalizando algumas vezes uma animosidade baseada em outras diferenças, tais como as de classe social.[4] Utilizamos termos específicos de estigma como aleijado, bastardo, retardado, em nosso discurso diário com fonte de metáfora e representação, de maneira característica, sem pensar no seu significado original.[5]

Tendemos a inferir uma série de imperfeições a partir da imperfeição original[6] e, ao mesmo tempo, a imputar ao interessado alguns atributos desejáveis mas não desejados, frequentemente de aspecto sobrenatural, tais como "sexto sentido" ou "percepção":[7]

> "Alguns podem hesitar em tocar ou guiar o cego, enquanto outros generalizam a deficiência de visão sob a forma de um gestalt de incapacidade, de tal modo que o indivíduo grita com o cego como se ele fosse surdo ou tenta erguê-lo como se ele fosse aleijado. Aqueles que estão diante de um cego podem ter uma gama enorme de crenças ligadas ao estereótipo. Por exemplo, podem pensar que estão sujeitos a um tipo único de avaliação, supondo que o indivíduo cego recorre a canais específicos de informação não disponíveis para os outros."[8]

Além disso podemos perceber a sua resposta defensiva a tal situação como uma expressão direta de seu defeito e, então, considerar os dois, defeito e resposta, apenas

---

[4] D. Riesman, "Some Observations Concerning Marginality", *Phylon*, Segundo Trimestre, 1951, 122.

[5] O caso em relação aos pacientes mentais é apresentado por T. J. Scheff num trabalho a ser lançado.

[6] Em relação aos cegos, ver E. Henrich e L. Kriegel, eds., *Experiments in Survival* (Nova York: Association for the Aid of Crippled Children, 1961), pp. 152 e 186; e H. Chevigny, *My Eyes Have a Cold Nose* (New Have, Conn.: Yale University Press, paperbound, 1962), p. 201.

[7] Segundo uma mulher cega, "fui solicitada a examinar um perfume, presumivelmente porque, sendo cega, meu olfato era superaguçado". Ver T. Keitlen (com N. Lobsenz), *Farewell to Fear* (Nova York: Avon, 1962), p. 10.

[8] A. G. Gowman, *The War Blind in American Social Structure* (Nova York: American Foundation for the Blind, 1957), p. 198.

como retribuição de algo que ele, seus pais ou sua tribo fizeram, e, consequentemente, uma justificativa da maneira como o tratamos.[9]

Agora passemos do normal à pessoa em relação à qual ele é normal. Parece, em geral, verdade que os membros de uma categoria social podem dar muito apoio a um padrão de julgamento que, eles e outros concordam, não se aplica diretamente a eles. Assim, um homem de negócios pode exigir das mulheres um comportamento feminino ou um procedimento ascético por parte dos monges, e não conceber a si próprio como pessoa que devesse seguir qualquer um desses estilos de conduta. A distinção reside entre o cumprir uma norma e o simplesmente apoiá-la. A questão do estigma não surge aqui, mas só onde há alguma expectativa, de todos os lados, de que aqueles que se encontram numa certa categoria não deveriam apenas apoiar uma norma, mas também cumpri-la.

Parece também possível que um indivíduo não consiga viver de acordo com o que foi efetivamente exigido dele e, ainda assim, permanecer relativamente indiferente ao seu fracasso; isolado por sua alienação, protegido por crenças de identidade próprias, ele sente que é um ser humano completamente normal e que nós é que não somos suficientemente humanos. Ele carrega um estigma, mas não parece impressionado ou arrependido por fazêlo. Essa possibilidade é celebrada em lendas exemplares sobre os menonitas, os ciganos, os canalhas impunes e os judeus muito ortodoxos.

Na América atual, entretanto, os sistemas de honra separados parecem estar decadentes. O indivíduo estigmatizado tende a ter as mesmas crenças sobre identidade que nós temos; isso é um fato central. Seus sentimentos mais profundos sobre o que ele é podem confundir a sua sensação de ser uma "pessoa normal", um ser humano como qualquer outro, uma criatura, portanto, que merece um destino agradável e uma oportunidade legítima.[10] (Na

---

[9] Para exemplos, ver Macgregor e outros, *op. cit.*, do começo ao fim.

[10] A noção de "ser humano normal" pode ter sua origem na abordagem médica da humanidade, ou nas tendências das organizações burocráticas em grande escala, como a Nação-Estado, de tratar todos os seus membros como iguais em alguns aspectos. Quaisquer que sejam suas origens, ela parece fornecer a representação básica por meio da qual os leigos usu-

realidade, não obstante a forma em que se expresse, ele baseia suas reivindicações não no que acredita seja devido a *todas as pessoas*, mas apenas a todas as pessoas de uma categoria social escolhida dentro da qual ele inquestionavelmente está incluído, como, por exemplo, qualquer indivíduo de sua idade, sexo, profissão etc.) Além disso ainda pode perceber geralmente de maneira bastante correta que, não importa o que os outros admitam, eles na verdade não o aceitam e não estão dispostos a manter com ele um contato em "bases iguais".[11] Ademais, os padrões que ele incorporou da sociedade maior tornam-no intimamente suscetível ao que os outros veem como seu defeito, levando-o inevitavelmente, mesmo que em alguns poucos momentos, a concordar que, na verdade, ele ficou abaixo do que realmente deveria ser. A vergonha se torna uma possibilidade central, que surge quando o indivíduo percebe que um de seus próprios atributos é impuro e pode imaginar-se como um não portador dele.

A presença próxima de normais provavelmente reforçará a revisão entre autoexigências e ego, mas na verdade o auto-ódio e a autodepreciação podem ocorrer quando somente ele e um espelho estão frente a frente:

> "Quando finalmente me levantei... e aprendi a caminhar novamente, apanhei um espelho e me dirigi a um outro maior, fixo, para me olhar, sozinha. Eu não queria que ninguém soubesse como me sentia ao me ver pela primeira vez. Mas não houve barulho nem choro; não gritei de raiva quando me vi. Simplesmente fiquei estarrecida. Aquela pessoa no espelho *não poderia* ser eu. Eu me sentia por dentro como uma pessoa comum, feliz, saudável — não como aquela que eu via! Ainda assim, quando virei o rosto para o espelho, lá estavam meus próprios olhos olhando para trás, ardentes de vergonha... quando não chorei nem tampouco fiz qualquer barulho, tornou-se impossível para mim falar sobre isto com alguém, e a confusão e o pânico provocados por minha descoberta foram trancados dentro de mim para encará-los sozinha, durante muito tempo ainda."[12]

---

almente se concebem. De maneira interessante, parece ter surgido uma convenção na literatura popular segundo a qual uma pessoa de reputação duvidosa proclama o seu direito de normalidade citando o fato de ter-se casado e ter filhos e, muito estranho, declarando ter passado o Natal e a Ação de Graças com eles.

[11] Uma perspectiva de um criminoso sobre esta não aceitação é apresentada em Parker e Allerton, *op. cit.*, pp. 110-111.

[12] K. B. Hathaway, *The Little Locksmith* (Nova York: Coward-McCann, 1943), p. 41, em Wright, *op. cit.*, p. 157.

"Aos poucos esqueci o que havia visto no espelho. Aquilo não podia penetrar no interior de minha mente e converter-me em parte integral de mim. Sentia-me como se não houvesse nada comigo; era apenas um disfarce. Mas não era o tipo de disfarce que é voluntariamente colocado pela pessoa que a usa com o objetivo de confundir os outros sobre sua identidade. Meu disfarce foi posto em mim sem o meu consentimento ou conhecimento, como ocorre nos contos de fadas, e foi a mim mesma que ele confundiu quanto a minha própria identidade. Eu me olhava no espelho e era tomada de horror porque não me reconhecia. No lugar em que me encontrava, com aquela exaltação romântica persistente em mim, como se eu fosse uma pessoa favorecida e afortunada para quem tudo era possível, eu via uma figura estranha, pequena, lastimável, horrenda e um rosto que se tornava, quando eu o olhava fixamente, doloroso e vermelho de vergonha. Era só um disfarce mas estava em mim para o resto da vida. Estava lá, estava lá, era real. Cada um desses encontros era como uma espécie de explosão na cabeça. Eles deixavam-me sempre entorpecida, muda e insensível até que, aos poucos, obstinadamente, a forte ilusão de bem-estar e beleza pessoal voltava a me invadir: eu esquecia a irrelevante realidade e ficava despreparada e vulnerável novamente."[13]

A característica central da situação de vida do indivíduo estigmatizado pode, agora, ser explicada. É uma questão do que é com frequência, embora vagamente, chamado de "aceitação". Aqueles que têm relações com ele não conseguem lhe dar o respeito e a consideração que os aspectos não contaminados de sua identidade social os haviam levado a prever e que ele havia previsto receber; ele faz eco a essa negativa descobrindo que alguns de seus atributos a garantem.

Como a pessoa estigmatizada responde a tal situação? Em alguns casos lhe seria possível tentar corrigir diretamente o que considera a base objetiva de seu defeito, tal como quando uma pessoa fisicamente deformada se submete a uma cirurgia plástica, uma pessoa cega a um tratamento ocular, um analfabeto corrige sue educação e um homossexual faz psicoterapia. (Onde tal conserto é possível, o que frequentemente ocorre não é a aquisição de um *status* completamente normal, mas uma transformação do ego: alguém que tinha um defeito particular se

[13] *Ibid.*, pp. 46-47. Para tratamentos gerais dos sentimentos de autorrejeição, ver K. Lewin, *Resolving Social Conflicts*, parte III (Nova York, Harper & Row, 1948); A. Kardiner e L. Ovesey, *The Mark of Oppression: A Psychosocial Study of the American Negro* (Nova York: W. W. Norton & Co., 1951); e E. H. Erikson, *Childhood and Society* (Nova York, W. W. Norton & Co., 1950).

transforma em alguém que tem provas de tê-lo corrigido.) Aqui, deve-se mencionar a predisposição à "vitimização" como um resultado da exposição da pessoa estigmatizada a servidores que vendem meios para corrigir a fala, para clarear a cor da pele, para esticar o corpo, para restaurar a juventude (como no rejuvenescimento através do tratamento com a gema de ovo fertilizada), curas pela fé e meios para se obter fluência na conversação. Quer se trate de uma técnica prática ou de fraude, a pesquisa, frequentemente secreta, dela resultante, revela, de maneira específica, os extremos a que os estigmatizados estão dispostos a chegar e, portanto, a angústia da situação que os leva a tais extremos. Pode-se citar um exemplo:

> "Miss Peck (uma assistente social de Nova York, pioneira de trabalhos em benefício de pessoas com dificuldades auditivas) disse que outrora eram muitos os curandeiros e charlatães que, desejosos de enriquecer rapidamente, viam na Liga (para os que tinham dificuldades de audição) um frutífero campo de caça, ideal para promoção de gorros magnéticos, vibradores miraculosos, tímpanos artificiais, sopradores, inaladores, massageadores, óleos mágicos, bálsamos e outros remédios que curam tudo, garantidos, positivos, à prova de incêndio, e permanentes para a surdez incurável. Anúncios de tais artifícios (até a década de 20, quando a Associação Médica Americana decidiu promover uma campanha de investigação) atacavam os que tinham dificuldades de audição, pelas páginas da imprensa diária, inclusive revistas bem conceituadas".[14]

O indivíduo estigmatizado pode, também, tentar corrigir a sua condição de maneira indireta, dedicando um grande esforço individual ao domínio de áreas de atividade consideradas, geralmente, como fechadas, por motivos físicos e circunstanciais, a pessoa com o seu defeito. Isso é ilustrado pelo aleijado que aprende ou reaprende a nadar, montar, jogar tênis ou pilotar aviões, ou pelo cego que se torna perito em esquiar ou em escalar montanhas.[15] O aprendizado torturado pode estar associado, é claro, com o mau desempenho do que se aprendeu, como quando um indivíduo, confinado a uma cadeira de rodas, consegue levar uma jovem ao salão, numa espécie de arremedo

---

[14] F. Warfield, *Keep Listening* (Nova York: The Vicking Press, 1957), p. 76. Ver também H. von Hentig, *The Criminal and His Victim* (New Haven, Conn.: Yale University Press, 1948), p. 101.

[15] Keitlen, *op. cit.*, Cap. 12, pp. 117-129, e Cap. 14, pp. 137-149. Ver também Chevigny, *op. cit.*, pp. 85-86.

de dança.[16] Finalmente, a pessoa com um atributo diferencial vergonhoso pode romper com aquilo que é chamado de realidade, e tentar obstinadamente empregar uma interpretação não convencional do caráter de sua identidade social.

A criatura estigmatizada usará, provavelmente, o seu estigma para "ganhos secundários", como desculpa pelo fracasso a que chegou por outras razões:

> "Durante anos, a cicatriz, o lábio leporino ou o nariz disforme foram considerados como uma desvantagem, e sua importância nos ajustamentos social e emocional inconscientemente abarcava tudo. Essa desvantagem era o "cabide" no qual o paciente pendurava todas as insuficiências, todas as insatisfações, todas as protelações e todas as obrigações desagradáveis da vida social, e do qual veio a depender não somente como forma de libertação racional da competição mas ainda como forma de proteção contra a responsabilidade social."
>
> "Quando esse fator é removido por cirurgia, o paciente perde a proteção emocional mais ou menos aceitável que ele oferecia e logo descobre, para sua surpresa e inquietação, que a vida não é fácil de ser levada, mesmo pelas pessoas que têm rostos "comuns", sem máculas. Ele está despreparado para lidar com essa situação sem o apoio de uma "desvantagem", e pode-se voltar para a proteção menos simples, mas semelhante, de padrões de comportamento de neurastenia, conversão histérica, hipocondria ou estados de ansiedade aguda."[17]

O estigmatizado pode, também, ver as privações que sofreu como uma bênção secreta, especialmente devido à crença de que o sofrimento muito pode ensinar a uma pessoa sobre a vida e sobre as outras pessoas:

> "Mas agora, distante da experiência do hospital, posso avaliar o que aprendi. (Escreve uma mãe permanentemente inválida devido à poliomielite.) Porque aquilo não foi somente sofrimento: foi também um aprendizado através dele. Sei que a minha consciência das pessoas aumentou e se aprofundou, que todos os que estão perto de mim podem contar com minha mente, meu coração e minha atenção para os seus problemas. Eu não poderia ter descoberto *isso* correndo numa quadra de tênis."[18]

---

[16] Henrich e Kriegel, *op. cit.*, p. 49.

[17] W. Y. Baker e L. H. Smith, "Facial Disfigurement and Personality", *Journal of the American Medical Association*, CXII (1939), 303. Macgregor *et al.*, *op. cit.*, pp. 57 e segs., nos fornecem um exemplo de um homem que usava como apoio seu grande nariz vermelho.

[18] Henrich e Kriegel, *op. cit.*, p. 19.

De maneira semelhante, ele pode vir a reafirmar as limitações dos normais, como sugere um esclerótico múltiplo:

"Tanto as mentes quanto os corpos saudáveis podem estar aleijados. O fato de que pessoas "normais" possam andar, ver e ouvir não significa que elas estejam realmente vendo ou ouvindo. Elas podem estar completamente cegas para as coisas que estragam sua felicidade, totalmente surdas aos apelos de bondade de outras pessoas; quando penso nelas não me sinto mais aleijado ou incapacitado do que elas. Talvez, num certo sentido, eu possa ser um meio de abrir os seus olhos para as belezas que estão à nossa volta: coisas como um aperto de mão afetuoso, uma voz que está ansiosa por conforto, uma brisa de primavera, certa música, uma saudação amistosa. Essas pessoas são importantes para mim e eu gosto de sentir que posso ajudá-las."[19]

E um cego escreve:

"Isso levaria imediatamente a se pensar que há muitos acontecimentos que podem diminuir a satisfação de viver de maneira muito mais efetiva do que a cegueira. Esse pensamento é inteiramente saudável. Desse ponto de vista, podemos perceber, por exemplo, que um defeito como a incapacidade de aceitar amor humano, que pode diminuir o prazer de viver até quase esgotá-lo, é muito mais trágico do que a cegueira. Mas é pouco comum que o homem com tal doença chegue a aperceber-se dela e, portanto, a ter pena de si mesmo."[20]

Escreve um aleijado:

"À proporção que a vida continuava, eu soube de muitos, muitos tipos diferentes de desvantagens, não apenas físicas, e comecei a perceber que as palavras da garota aleijada no excerto acima (palavras de amargura) bem poderiam ter sido pronunciadas por jovens mulheres que se sentiam inferiores e diferentes por sua feiura, incapacidade de ter filhos, impossibilidade de relacionamento com outras pessoas, ou muitas outras razões."[21]

As respostas dos normais e dos estigmatizados que foram consideradas até aqui são as que podem ocorrer em períodos prolongados de tempo e quando não há um contato corrente entre eles.[22] Este livro, entretanto

---

[19] *Ibid.*, p. 35.

[20] Chevigny, *op. cit.*, p. 154.

[21] F. Carling, *And Yet We Are Human* (Londres: Chatto & Windus, 1962), pp. 23-24.

[22] Para uma resenha, ver G. W. Allport, *The Nature of Prejudice* (Nova York: Anchor Books, 1958).

ocupa-se especificamente com a questão dos "contatos mistos" — os momentos em que os estigmatizados e os normais estão na mesma "situação social", ou seja, na presença física imediata um do outro, quer durante uma conversa, quer na mera presença simultânea em uma reunião informal.

A simples previsão de tais contatos pode, é claro, levar os normais e os estigmatizados a esquematizar a vida de forma a evitá-los. Presumivelmente, isso terá maiores consequências para os estigmatizados, à medida que uma esquematização maior de sua parte será sempre necessária:

> "Antes de seu desfiguramento (amputação da metade inferior de seu nariz), Mrs. Dover, que vivia com uma de suas duas filhas casadas, era uma mulher independente, afetuosa e amável que gostava de viajar, fazer compras e visitar os seus vários parentes. O desfiguramento de seu rosto, entretanto, teve como resultado uma alteração definitiva de seu estilo de vida. Nos dois ou três primeiros anos, ela raramente deixava a casa de sua filha, preferindo permanecer em seu quarto ou sentar-se no quintal. 'Eu estava infeliz', disse ela; 'não havia mais horizontes em minha vida.'"[23]

Faltando o *feedback* saudável do intercâmbio social quotidiano com os outros, a pessoa que se autoisola possivelmente torna-se desconfiada, deprimida, hostil, ansiosa e confusa. Pode-se citar uma versão de Sullivan:

> "Ter consciência da inferioridade significa que a pessoa não pode afastar do pensamento a formulação de uma espécie de sentimento crônico do pior tipo de insegurança que conduz à ansiedade e, talvez a algo ainda pior, no caso de se considerar a inveja como realmente pior do que a ansiedade. O medo de que os outros possam desrespeitá-la por algo que ela exiba significa que ela sempre se sente insegura em seu contato com os outros; essa insegurança surge, não de fontes misteriosas e um tanto desconhecidas como uma grande parte de nossas ansiedades, mas de algo que ela não pode determinar. Isso representa uma deficiência quase fatal do sistema do "eu" na medida em que este não consegue disfarçar ou afastar uma formulação definida que diz 'Eu sou inferior, portanto as pessoas não gostarão de mim e eu não poderei sentir-me seguro com elas'."[24]

---

[23] Macgregor et. *al.*, *op. cit.*, pp. 91-92.

[24] De *Clinical Studies in Psychiatry*, H. S. Perry, M. L. Gawel e M. Gibbon, eds. (Nova York: W. W. Norton & Co., 1956), p. 145.

Quando normais e estigmatizados realmente se encontram na presença imediata uns dos outros, especialmente quando tentam manter uma conversação, ocorre uma das cenas fundamentais da sociologia porque, em muitos casos, esses momentos serão aqueles em que ambos os lados enfrentarão diretamente as causas e efeitos do estigma.

O indivíduo estigmtizado pode descobrir que se sente inseguro em relação à maneira como os normais o identificarão e o receberão.[25] Pode-se citar um exemplo extraído de um pesquisador da incapacidade física:

> "Para a pessoa inabilitada, a incerteza quando ao *status*, somada à insegurança em relação ao emprego, prevalece sobre uma ampla gama de interações sociais. O cego, o doente, o surdo, o aleijado nunca podem estar seguros sobre qual será a atitude de um novo conhecido, se ele será receptivo ou não, até que se estabeleça o contato. É exatamente essa a posição do adolescente, do negro de pele clara, do imigrante de segunda geração, da pessoa em situação de mobilidade social e da mulher que entrou numa ocupação predominantemente masculina."[26]

Essa incerteza é ocasionada não só porque o indivíduo não sabe em qual das várias categorias ele será colocado mas também, quando a colocação é favorável, pelo fato de que, intimamente, os outros possam defini-lo em termos de seu estigma:

> "E eu sempre sinto isso em relação a pessoas diretas: embora elas sejam boas e gentis, para mim, realmente, no íntimo, o tempo todo, estão apenas me vendo como um criminoso e nada mais. Agora é muito tarde para que eu seja diferente do que sou, mas ainda sinto isso profundamente: que esse é o seu único modo de se aproximar de mim e que eles são absolutamente incapazes de me aceitar como qualquer outra coisa."[27]

Assim, surge no estigmatizado a sensação de não saber aquilo que os outros estão "realmente" pensando dele.

---

[25] R. Barker, "The Social Psychology of Physical Disability", *Journal of Social Issues*, IV (1948), 34, sugere que as pessoas estigmatizadas "vivem numa fronteira sociopsicológica", encarando constantemente novas situações. Ver também Macgregor *et al.*, *op. cit.*, p. 87, onde se sugere que os mais visivelmente deformados precisam ter menos dúvidas sobre sua recepção na interação do que os menos visivelmente deformados.

[26] Barker, *op. cit.*, p. 33.

[27] Parker e Allerton, *op. cit.*, p. 111.

Além disso, durante os contatos mistos, é provável que o indivíduo estigmatizado sinta que está "em exibição"[28] e leve sua autoconsciência e controle sobre a impressão que está causando a extremos e áreas de conduta que supõe que os demais não alcançam.

Ele também pode sentir que o esquema usual que utilizava para a interpretação de acontecimentos diários está enfraquecido. Seus menores atos, ele sente, podem ser avaliados como sinais de capacidade notáveis e extraordinárias nessas circunstâncias. Um criminoso profissional fornece um exemplo:

"Sabe, é realmente impressionante que você leia livros como este, estou surpreso. Pensei que você lesse novelas em brochura, coisas com capas sensacionalistas, livros assim. E aí está você com Claude Cockburn, Hugh Klare, Simone de Beauvoir e Lawrence Durrell!

Ele não achava que esta observação era um insulto: na verdade, acho que pensava que estava sendo honesto ao me dizer o quanto ele estava enganado. E é exatamente esse tipo de condescendência que se recebe de pessoas honestas quando se é um criminoso. 'Imagine só!', dizem elas. 'Em certos aspectos você é igual a um ser humano!' Não estou brincando, me dá vontade de acabar com elas."[29]

Uma pessoa cega nos fornece um outro exemplo:

"Seus atos mais usuais de outrora — andar indiferentemente na rua, colocar ervilhas no prato, acender um cigarro — não são mais comuns. Ele torna-se uma pessoa diferente. Se ele os desempenha com destreza e segurança, provocam o mesmo tipo de admiração inspirado por um mágico que tira coelhos de cartolas."[30]

Ao mesmo tempo, erros menores ou enganos incidentais podem, sente ele, ser interpretado como uma expressão direta de seu atributo diferencial estigmatizado. Ex-pacientes mentais, por exemplo, às vezes receiam uma discussão acalorada com a esposa ou o empregador por medo da interpretação errônea de suas emoções. Pessoas com deficiências mentais enfrentam situações semelhantes:

---

[28] Esse tipo especial de autoconsciência é analisado em S. Messinger *et al.*, "Life as Theater: Some Notes on the Dramaturgic Approach to Social Reality", *Sociometry*, XXV (1962), 98-110.

[29] Parker e Allerton, *op. cit.*, p. 111.

[30] Chevigny, *op. cit.*, p. 140.

"Ocorre também que, se uma pessoa de baixa capacidade intelectual tem algum tipo de problema, a dificuldade é mais ou menos automaticamente atribuída a um "defeito mental", enquanto, se uma outra de "inteligência normal" tem dificuldade semelhante, esta não é considerada como sintoma de qualquer coisa particular."[31]

Uma garota que só tinha uma perna, relembrando sua experiência nos esportes, fornece outros exemplos:

"Quando eu caía, uma grande quantidade de mulheres corria, cacarejando e se lamentando como um grupo de galinhas-mães desoladas. Era muita gentileza, e agora eu aprecio essa solicitude mas, na época, eu ficava ressentida e muito embaraçada com tal interferência. Por que elas partiam do pressuposto de que nenhum acontecimento rotineiro quando se anda de patins — um graveto ou uma pedra — teria se colocado entre as rodas dos meus. A conclusão era inevitável: *Eu* caía porque era uma pobre e impotente aleijada.[32]

Nenhuma delas gritava com raiva "aquele perigoso cavalo selvagem a derrubou!" — o que, Deus o perdoe, era verdade. Foi como uma horrível visitação fantasmagórica aos meus velhos dias de patins. Todas as pessoas lamentavam em coro: 'Aquela pobre menina caiu!'"[33]

Quando o defeito da pessoa estigmatizada pode ser percebido só ao se lhe dirigir a atenção (geralmente visual) — quando, em resumo, é uma pessoa desacreditada, e não desacreditável — é provável que ela sinta que estar presente entre normais a expõe cruamente a invasões de privacidade,[34] mais agudamente experimentadas, talvez, quando crianças a observam fixamente.[35] Esse desagrado em se expor pode ser aumentado por estranhos que se sentem livres para entabular conversas nas quais expressam o que ela considera uma curiosidade mórbida sobre a sua condição, ou quando eles oferecem uma ajuda que

---

[31] L. A. Dexter, "A Social Theory of Mental Deficiency", *American Journal of Mental Deficiency*, LXII (1958), 923. Para outro estudo sobre a estigmatização de pessoas com defeitos mentais, ver S. E. Perry, "Some Theoretical Problems of Mental Deficiency and Their Action Implications", *Psychiatry*, XVII (1954), pp. 45-73.

[32] Baker, *Out on a Limb* (Nova York: McGraw-Hill Book Company, s/d), p. 22.

[33] *Ibid.*, p. 73.

[34] Este tema é bem tratado em R. K. White, B. A. Wright e T. Dembo, "Studies in Adjustment to Visible Injuries: Evaluation of Curiosity by the Injured", *Journal of Abnormal and Social Psychology*, XLIII (1948), 13-28.

[35] Por exemplo, Henrich e Kriegel, *op. cit.*, p. 184.

não é necessária ou não é desejada.[36] Pode-se acrescentar que há certas fórmulas clássicas para esses tipos de conversas: "Minha querida, como você conseguiu seu aparelho de surdez"; "Meu tio-avô tinha um, então acho que sei tudo sobre o seu problema"; "Sabe, eu sempre disse que esses aparelhos são amigos excelentes e solícitos"; "Diga-me, como você consegue tomar banho com seu audiofone?" Por isso se infere que o indivíduo estigmatizado pode ser abordado à vontade por estranhos, desde que eles sejam simpáticos à sua situação.

Considerando o que pode enfrentar ao entrar numa situação social mista, o indivíduo estigmatizado pode responder antecipadamente através de uma capa defensiva. Isso pode ser ilustrado por um estudo antigo sobre alguns alemães desempregados durante a Depressão. Conta um pedreiro de 43 anos:

> "Como é duro e humilhante carregar a fama de um homem desempregado! Quando saio, baixo os olhos porque me sinto totalmente inferior. Quando ando na rua, parece-me que não posso ser comparado a um cidadão comum, que todo mundo está me apontando. Instintivamente evito encontrar qualquer pessoa. Conhecidos e amigos antigos de melhores épocas não são mais tão cordiais. Quando nos encontramos, eles me saúdam com indiferença. Não me oferecem mais cigarros e seus olhos parecem dizer 'Você não tem valor, você não trabalha'."[37]

Uma garota aleijada fornece uma análise ilustrativa:

> "Quando... comecei a andar sozinha nas ruas da nossa cidade... descobri que toda vez que passava por três ou quatro crianças juntas na calçada elas gritavam para mim,... Algumas vezes elas chegavam mesmo a correr atrás de mim, gritando e zombando. Isto era algo que eu não sabia enfrentar, nem suportar...
>
> Por algum tempo esses encontros na rua me encheram com um frio pavor de todas as crianças desconhecidas...
>
> Um dia, subitamente, descobri que eu tinha tanta consciência de mim e tanto medo de toadas as crianças desconhecidas que, como os animais, elas sabiam disso, de modo que mesmo a mais meiga e amável era levada ao escárnio por meu próprio retraimento e medo."[38]

---

[36] Ver Wright, *op. cit.*, "The Problem of Sympathy", pp. 233-237.

[37] S. Zawadski e P. Lazarsfeld, "The Psychological Consequences of Unemployment", *Journal of Social Psychology*, VI (1935), 239.

[38] Hathaway, *op. cit.*, pp. 155-157, em S. Richardson, "The Social Psychological Consequences of Handicapping", trabalho não publicado, apresentado na Convenção da Associação Sociológica Americana em 1962, Washington, DC, 7-8.

Em vez de se retrair, o indivíduo estigmatizado pode tentar aproximar-se de contatos mistos com agressividade, mas isso pode provocar nos outros uma série de respostas desagradáveis. Pode-se acrescentar que a pessoa estigmatizada algumas vezes vacila entre o retraimento e a agressividade, correndo de um para a outra, tornando manifesta, assim, uma modalidade fundamental na qual a interação *face-to-face* pode tornar-se muito violenta.

Sugiro, então, que o indivíduo estigmatizado — pelo menos o "visivelmente" estigmatizado — terá motivos especiais para sentir que as situações sociais mistas provam uma interação angustiada. Assim, deve-se suspeitar que nós, normais, também acharemos essas situações angustiantes. Sentiremos que o indivíduo estigmatizado ou é muito agressivo ou é muito tímido e que, em ambos os casos, está pronto a ler significados não intencionais em nossas ações. Nós próprios podemos sentir que, se mostramos sensibilidade e interesse diretos por sua situação, estamos nos excedendo, ou que se, na realidade, esquecemos que ele tem um defeito, far-lhe-emos, provavelmente, exigências impossível de serem cumpridas ou, inadvertidamente, depreciaremos seus companheiros de sofrimento.

Sentimos que o estigmatizado percebe cada fonte potencial de mal-estar na interação, que sabe que nós também a percebemos e, inclusive, que não ignoramos que ele a percebe. Estão dadas, portanto, as condições para o eterno retorno da consideração mútua que a psicologia social de Mead nos diz como começar mas não como terminar.

Uma vez que tanto o estigmatizado quanto nós, os normais, nos introduzimos nas situações sociais mistas, é compreensível que nem todas as coisas caminhem suavemente. Provavelmente tentaremos proceder como se, de fato, esse indivíduo correspondesse inteiramente a um dos tipos de pessoas que nos são naturalmente acessíveis em tal situação, quer isso signifique tratá-lo como se ele fosse alguém melhor do que achamos que seja, ou alguém pior do que achamos que ele provavelmente é. Se nenhuma dessas condutas for possível, tentaremos, então, agir como se ele fosse uma "não pessoa" e não existisse, para nós, como um indivíduo digno de atenção ritual. Ele, por sua vez, provavelmente continuará com os mesmos artifícios, pelo menos no início.

Consequentemente, a atenção será furtivamente desviada de seus alvos obrigatórios, dando lugar à consciência do "eu" e à "consciência do outro", expressa na patologia da interação — inquietação.[39] No caso dos indivíduos que têm deficiências físicas, ela pode ser expressa assim:

> "Quer se reaja abertamente e sem tato ante a desvantagem como tal ou, o que é mais comum, não se faça referência explícita a ela, a condição básica de intensificação e limitação da percepção leva a interação a articular-se de forma demasiadamente exclusiva, em seus próprios termos. Isso, como o descrevem os meus informantes, é frequentemente acompanhado por um ou mais dos sinais familiares de desconforto e embaraço: as referências cuidadosas, as palavras comuns da vida quotidiana que de repente se transformam em tabu, o olhar vago, a ligeireza artificial, a loquacidade compulsiva, a seriedade embaraçosa."[40]

É provável que, em situações sociais onde há um indivíduo cujo estigma conhecemos ou percebemos, empreguemos categorizações inadequadas e que tanto nós como ele nos sintamos pouco à vontade. Há, é claro, frequentemente, mudanças significativas a partir dessa situação inicial. E, como a pessoa estigmatizada tem mais probabilidades do que nós de se defrontar com tais situações é provável que ela tenha mais habilidades para lidar com elas.

O Igual e o "Informado"

Sugeriu-se inicialmente que poderia haver uma discrepância entre a identidade virtual e a identidade real de um indivíduo. Quando conhecida ou manifesta, essa discrepância estraga a sua identidade social; ela tem como efeito afastar o indivíduo da sociedade e de si mesmo de tal modo que ele acaba por ser uma pessoa desacreditada frente a um mundo não receptivo. Em alguns casos, como no do indivíduo que nasceu sem nariz, ele pode continuar, durante o resto da sua vida, a achar que é o único de sua

---

[39] Para uma abordagem geral, ver E. Goffman, "Alienation from Interaction", *Human Relations*, X (1957), 47-60.

[40] F. Davis, "Deviance Disavowal: The Management of Strained Interaction by the Visibly Handicapped", *Social Problems*, IX (1961), 123. Ver também White, Wright e Dembo, *op. cit.*, pp. 26-27.

espécie e que o mundo inteiro está contra ele. Na maioria dos casos, entretanto, ele descobrirá que há pessoas compassivas, dispostas a adotar seu ponto de vista no mundo e a compartilhar o sentimento de que ele é humano e "essencialmente" normal apesar das aparências e a despeito de suas próprias dúvidas. Nesse caso, devem-se considerar duas categorias. O primeiro grupo de pessoas benévolas é, é claro, o daquelas que compartilham o seu estigma. Sabendo por experiência própria o que se sente quando se tem este estigma em particular, algumas delas podem instruí-lo quanto aos artifícios da relação e fornecer-lhe um círculo de lamentação no qual ele possa refugiar-se em busca de apoio moral e do conforto de sentir-se em sua casa, em seu ambiente, aceito como uma criatura que realmente é igual a qualquer outra normal. Pode-se citar um exemplo extraído de um estudo sobre analfabetos:

"A existência de um sistema de valores frequentes entre estas pessoas é evidenciado pelo caráter comunitário do comportamento dos analfabetos entre si. Eles não só passam de indivíduos inexpressivos e confusos, como frequentemente aparecem na sociedade mais ampla, a pessoas expressivas e inteligentes dentro de seu próprio grupo mas, além disso, expressam-se em termos institucionais. Têm, entre si, um universo de respostas. Formam e reconhecem símbolos de prestígio e desonra; avaliam situações relevantes em termos de suas próprias normas e seu próprio idioma e, em suas relações mútuas, deixam cair a máscara de ajuste acomodativo."[41]

Outro exemplo, o daqueles que têm dificuldades de audição:

"Lembrava-me de como era tranquilizador, na Escola Nitchie, estar com pessoas que admitiam a existência de dificuldades auditivas. Gostaria de conhecer pessoas que aceitassem os aparelhos de audição. Como gostaria de poder ajustar o controle de meu transmissor sem me preocupar com alguém que esteja me olhando. Poder deixar de pensar, por um momento, se o cordão que passa atrás de meu pescoço está à mostra. Que delícia gritar para alguém: 'Santo Deus, minha bateria está descarregando!'"[42]

Entre seus iguais, o indivíduo estigmatizado pode utilizar sua desvantagem como uma base para organizar sua

---

[41] H. Freeman e G. Kasenbaum, "The Illiterate in America", *Social Forces*, XXXIV (1956), p. 374.

[42] Warfield, *op. cit.*, p. 60.

vida, mas para consegui-lo deve-se resignar a viver num mundo incompleto. Neste, poderá desenvolver até o último ponto a triste história que relata a possessão do estigma. As explicações que os deficientes mentais dão para a sua entrada na instituição correspondente fornecem um exemplo:

(1) "Me misturei com uma quadrilha. Uma noite estávamos roubando um posto de gasolina e a polícia me apanhou. Não pertenço a este lugar." (2) "Olhe, eu não deveria estar aqui. Sou epiléptico, não tenho nada a ver com esta gente." (3) "Meus pais me odeiam e me puseram aqui dentro." (4) "Dizem que sou louco. Não sou louco, mas mesmo que o fosse não deveria estar aqui com estes subdotados."[43]

Por outro lado, ele pode descobrir que os relatos de seus companheiros de sofrimento o aborrecem e tudo o que implique centrar-se em histórias de atrocidades, na superioridade do grupo, ou em histórias de embusteiros, em suma, no "problema", é um dos maiores castigos por ter um estigma. Por trás dessa focalização do problema há, é claro, uma perspectiva não muito diferente da dos normais à medida que está especializada em um setor:

"Todos parecemos propensos a identificar as pessoas com as características que para nós são importantes, ou que consideramos como de importância geral. Se perguntar a alguém quem era Franklin D. Roosevelt, a resposta provavelmente será que ele foi o trigésimo segundo presidente dos Estados Unidos e não que ele era um homem que sofria de poliomielite, embora muitas pessoas, é claro, pudessem mencionar a poliomielite como informação suplementar, considerando interessante o fato de que ele tenha conseguido abrir caminho até a Casa branca a despeito de sua desvantagem. O aleijado, entretanto provavelmente pensará na poliomielite do Sr. Roosevelt logo que ouvir o seu nome."[44]

No estudo sociológico das pessoas estigmatizadas, o interesse está geralmente voltado para o tipo de vida coletiva, quando esta existe, que levam aqueles que pertencem a uma categoria particular. Aqui, certamente, se

---

[43] R. Edgerton e G. Sabagh, "From Mortification to Aggrandizement: Changing Self-Concepts in the Careers of Mentally Retarded", *Psychiatry*, XXV (1962), 268. Para comentários adicionais sobre relatos tristes, ver E. Goffman, "The Moral Career of the Mental Patient", *Psychiatry*, XXII (1959), 133-134.

[44] Carling, *op. cit.*, pp. 18-19.

encontra um catálogo completo dos tipos de formação de grupo e de função de grupo. Há pessoas que possuem deficiências de fala cuja peculiaridade aparentemente desencoraja qualquer tentativa de formação grupal ou algo semelhante.[45] Nos limites do desejo de se unir estão ex-pacientes mentais — apenas um número relativamente pequeno deles está, em geral, disposto a sustentar clubes de saúde, apesar dos rótulos inócuos que permitem que seus membros se agrupem sob um título comum.[46] Além disso há os clubes de ajuda mútua para os divorciados, os velhos, os obesos, os que se encontram em situação de desvantagem física,[47] os que sofreram uma ileostomia ou uma colostomia.[48] Há clubes residenciais, subvencionados por contribuições voluntárias de diversos graus, formados para ex-alcoólatras e ex-viciados. Há associações nacionais como a AA* que fornecem a seus membros uma doutrina completa e quase que um estilo de vida. Essas associações são, quase sempre, o ponto máximo de anos de esforço por parte de pessoas e grupos situados em diversas posições e constituem um objeto de estudo exemplar enquanto movimentos sociais.[49] Existem redes

[45] E. Lemert, *Social Pathology* (Nova York, McGraw-Hill Book Company), 1951, p. 151.

[46] H. Wechsler nos fornece um exame geral, em "The Expatient Organization: A Survey", *Journal of Social Issues*, XVI, 1960, 47-53. Os títulos incluem: Recuperação Inc., Busca, Clube 103, Fundação Casa da Fonte, Clube de Confraternização São Francisco, Clube Central. Para um estudo de um desses clubes, ver D. Landy e S. Singer, "The Social Organization and Culture of a Club for Former Mental Patients", *Human Relations*, XIV (1961), 31-41. Ver também M. B. Palmer, "Social Rehabilitation for Mental Patients", *Mental Hygiene*, XLII (1958), 24-28.

[47] Ver Baker, *op. cit.*, pp. 158-159.

[48] D. R. White, "Tenho uma ileostomia... Quisera não tê-la. Mas aprendi a Aceitá-la e Viver uma Vida Normal e Completa", *American Journal of Nursing*, LXI (1961), 52: "Nesse momento existem clubes de ileostomia e colostomia em 16 estado e no Distrito de Colúmbia, assim como na Austrália, Canadá, Inglaterra e África do Sul".

* Alcoólatras Anônimos. (N.T.)

[49] Warfield, *op. cit.*, pp. 135-136, descreve uma comemoração realizada em 1950, em Nova York, pelo movimento das pessoas com dificuldades auditivas, no qual estavam presentes todas as gerações sucessivas de dirigentes, assim como representantes de cada uma das organizações originalmente separadas. Uma recapitulação completa da história do movimento pôde, assim, ser obtida. Para observações sobre a história inter-

de ajuda mútua formadas por ex-presidiários de um mesmo reformatório ou prisão, das quais um exemplo é a sociedade tácita de foragidos do sistema penal francês da Guiana Francesa que se diz existir na América do Sul;[50] mais tradicionalmente, há redes de relações, compostas de indivíduos que se conhecem (ou que estão indiretamente relacionados), a que parecem pertencer alguns criminosos e homossexuais. Há também meios urbanos que possuem um núcleo de instituições de serviço que fornecem base territorial para prostitutas, viciados, homossexuais, alcoólatras e outros grupos desacreditados, sendo esses estabelecimentos, algumas vezes, compartilhados por várias classes de proscritos e, outras vezes, não. Finalmente, dentro da cidade, existem comunidades residenciais desenvolvidas, étnicas, raciais ou religiosas, com uma alta concentração de pessoas tribalmente estigmatizadas e (diferentemente de muitas outras formações de grupos entre os estigmatizados) tendo a família, e não o indivíduo, como unidade básica de organização.

Aqui, é claro, há uma confusão conceitual muito comum. O termo "categoria" é perfeitamente abstrato e pode ser aplicado a qualquer agregado, nesse caso a pessoas com um estigma particular. Grande parte daqueles que se incluem em determinada categoria de estigma podem-se referir à totalidade dos membros pelo termo "grupo" ou um equivalente, como "nós" ou "nossa gente". Da mesma forma, os que estão fora da categoria podem designar os que estão dentro dela em termos grupais. Em tais casos, entretanto, é muito comum que o conjunto total de membros não constitua parte de um único grupo em sentido estrito, já que não tem capacidade para a ação coletiva nem um padrão estável e totalizador de interação mútua. O que se sabe é que os membros de uma categoria de estigma particular tendem a reunir-se em pequenos grupos sociais cujos membros derivam todos da mesma categoria, estando esses próprios grupos sujeitos a uma organização que os engloba em maior ou menor medida. E observa-se também que quando ocorre que um membro

---

nacional do movimento, ver K. W. Hodgson, *The Deaf and their Problems* (Nova York: Philosophical Library, 1954), p. 352.

[50] Relatado em F. Poli, *Gentlemen Convicts* (Londres: Rupert Hart-Davis, 1960).

da categoria entra em contato com outro, ambos podem dispor-se a modificar o seu trato mútuo, devido à crença de que pertencem ao mesmo "grupo". Além disso, fazendo parte da categoria um indivíduo pode ter uma probabilidade cada vez maior de entrar em contato com qualquer outro membro e, mesmo, de entrar em relação com ele, como resultado. Uma categoria, então, pode funcionar no sentido de favorecer entre seus membros as relações e formação de grupo mas sem que seu conjunto total de membros constitua um grupo — sutileza conceitual que daqui em diante nem sempre será observada neste livro.

Quer as pessoas que têm um estigma particular forneçam ou não a base de recrutamento para uma comunidade ecologicamente consolidada de alguma maneira, elas provavelmente subvencionarão agentes e agências que as apresentem. (É interessante que não tenhamos uma palavra para designar, de maneira precisa, os componentes, seguidores, partidários, subordinados ou defensores de tais representantes.) Os membros podem, por exemplo, ter um escritório ou uma antecâmara da qual promovem seus casos frente ao governo ou à imprensa; a diferença é estabelecida pelo indivíduo colocado à frente da mesma: uma pessoa igual a eles, um "nativo" que está realmente a par das coisas, como ocorre com os cegos, os surdos, os alcoólatras e os judeus, ou alguém que pertence ao outro lado, como fazem os presidiários ou os deficientes mentais.[51] (Os grupos de ação que servem à mesma categoria de pessoas estigmatizadas pode, às vezes, estar em ligeira oposição uns em relação aos outros e essa oposição frequentemente reflete uma diferença entre direção a cargo dos "nativos" e a direção a cargo dos normais.) Uma tarefa característica desses representantes é convencer o público a usar um rótulo social mais flexível à categoria em questão:

> "Atuando segundo essa crença, o corpo de membros da Liga (Liga Nova-Iorquina para as Pessoas com Dificuldades de Audição) concordou em só usar certos termos, como pessoa com dificuldades de audição, com audição reduzida ou com perda de audição, e em eliminar a palavra surdo de suas conversas, correspondência e outros escritos, de seu trabalho de ensino e

[51] Por exemplo, ver Chevigny, *op. cit.*, Cap. 5, onde a situação é apresentada em referência aos cegos.

de seus discursos em público. O procedimento deu resultado. A cidade de Nova York em geral começou gradualmente a usar o novo vocabulário. Uma apreciação objetiva estava a caminho."[52]

Outra de suas tarefas usuais é a de aparecerem como "oradores" perante diversas plateias de normais e estigmatizados; elas apresentam o caso em nome dos estigmatizados e, quando elas próprias são "nativas" do grupo, fornecem um modelo vivido de uma realização plenamente normal; são heróis da adaptação, sujeitos a recompensas públicas por provar que um indivíduo desse tipo pode ser uma boa pessoa.

Frequentemente, as pessoas que têm um estigma particular patrocinam algum tipo de publicação que expressa sentimentos compartilhados, consolidando e estabilizando para o leitor a sensação da existência real de "seu" grupo e sua vinculação a ele. Nestas publicações a ideologia dos membros é formulada — suas queixas, suas aspirações, sua política. São citados os nomes de amigos e inimigos conhecidos do grupo, junto com informações que confirmam a bondade ou a maldade dessas pessoas. Publicam-se histórias de sucesso, lendas de heróis de assimilação que penetraram em novas áreas de aceitação dos normais. São recordados contos de horror, antigos e modernos, que mostram a que extremos podem chegar os abusos cometidos pelos normais. São publicados, como exemplo, histórias de fundo moral sob a forma de biografias ou autobiografias que ilustram um código desejável de conduta para os estigmatizados. Se o defeito do indivíduo requer um equipamento especial, é aqui que ele é anunciado e analisado. Os leitores de tais publicações constituem um mercado para livros e panfletos que apresentam linha semelhante.

É importante enfatizar que, na América pelo menos, não importa se uma categoria particular de estigmatizados é pequena ou está em má situação: o ponto de vista de seus membros terá provavelmente algum tipo de representação pública. Pode-se, então, afirmar que os americanos estigmatizados tendem a viver num mundo definido

[52] Warfield, *op. cit.*, p. 78.

literariamente por menos cultos que sejam. Se eles não leem livros sobre a situação de pessoas como eles próprios, pelo menos leem revistas e veem filmes; e, quando não podem fazê-lo, escutam os membros do grupo, porta-vozes do problema, em sua localidade. Uma versão intelectualmente elaborada de sua perspectiva e, assim, acessível à maioria das pessoas estigmatizadas.

É necessária aqui uma explicação sobre aqueles que vêm a atuar como representantes de uma categoria estigmatizada. São pessoas com estigma que têm, de início, um pouco mais de oportunidade de se expressar, são um pouco mais conhecidas ou mais relacionadas do que os seus companheiros de sofrimento e que, depois de um certo tempo, podem descobrir que o "movimento" absorve todo o seu dia e que se converteram em profissionais. Esse ponto é exemplificado por um indivíduo com dificuldade de audição:

"Em 1942 eu passava quase todos os dias na Liga. Às segundas-feiras eu costurava com a Unidade da Cruz Vermelha. Às terças, trabalhava no escritório, batendo à máquina e manipulando arquivo, operando a mesa telefônica quando necessário. Nas tardes de quarta-feira eu ajudava o médico na clínica de prevenção da surdez pertencente à Liga, no Hospital de Olhos e Ouvidos de Manhattan, uma tarefa que me agradava particularmente: tratava-se de escrever as histórias das crianças que, devido a resfriados, otites, infecções e doenças infantis — cujos efeitos posteriores eram potencialmente prejudiciais para a audição — obtinham benefícios de novos conhecimentos, novos remédios e novas técnicas otológicas, o que lhes permitiria provavelmente crescer sem algodões nos ouvidos. Nas tardes de quinta-feira, eu assistia às aulas de leitura labial para os adultos, e depois todos nós jogávamos baralho e tomávamos chá. Às sextas-feiras, eu trabalhava no *Boletim*. Aos sábados eu fazia chocolate e sanduíches de salada de ovo. Uma vez por mês eu assistia ao encontro das Senhoras Auxiliares, um grupo voluntário organizado em 1921 pela Senhora Wendell Phillips e outras esposas de otólogos interessados em arrecadar fundos, aumentar o número de sócios e representar a Liga socialmente. Organizava a Festa de Todos os Santos para as crianças de seis anos e ajudava a servir a ceia no Dia de Ação de Graças dos Veteranos. Na época de Natal redigia pedidos de contribuição, ajudava a sobrescritar os envelopes e a colar os selos. Colocava as cortinas novas e consertava a velha mesa de pingue-pongue; acompanhava os jovens ao baile de São Valentim e ficava encarregada de uma barraca de vendas durante a Feira da Páscoa."[53]

---

[53] Warfield, *op. cit.*, pp. 73-74; ver também Cap. 9, pp. 129-158, onde aparece uma espécie de confissão relativa à vida profissional. Para a descrição da vida de um mutilado profissional, ver H. Russell, *Victory in My Hands* (Nova York, Creative Age Press, 1949).

Pode-se acrescentar que desde que uma pessoas com um estigma particular alcança uma alta posição financeira, política ou ocupacional — dependendo a sua importância do grupo estigmatizado em questão — é possível que a ela seja confiada uma nova carreira: a de representar a sua categoria. Ela encontra-se numa posição muito eminente para evitar ser apresentada por seus iguais como um exemplo deles próprios. (A fraqueza de um estigma pode, assim, ser medida pela forma pela qual um membro da categoria, por mais importante que seja, consegue evitar estas pressões.)

Sobre esse tipo de profissionalização são, em geral, formuladas duas observações. Em primeiro lugar, ao fazer de seu estigma uma profissão, os líderes "nativos" são obrigados a lidar com representantes de outras categorias, descobrindo, assim, que estão rompendo o círculo fechado de seus iguais. Em vez de se apoiar em suas muletas, utilizam-nas para jogar golfe, deixando de ser, em termos de participação social, os agentes das pessoas que eles representam.[54]

Em segundo lugar, os que apresentam profissionalmente a opinião de sua categoria podem introduzir certas parcialidades sistemáticas em sua exposição apenas porque estão demasiadamente envolvidos no problema para poderem escrever sobre ele. Embora qualquer categoria possa ter profissionais que seguem linhas diversas, e mesmo subvencionar publicações que defendem programas diferentes, há um acordo tácito uniforme de que a situação do indivíduo com esse estigma particular merece atenção. Quer um escritor leve um estigma muito a sério ou o considere não muito importante, deve defini-lo como algo sobre o que vale a pena escrever. Esse acordo mínimo, mesmo quando não há outros, serve para consolidar a crença no estigma como uma base para a autocompreensão. Nesse caso, novamente, os representantes não são representativos, porque a representação nunca vem dos que não dão atenção a seu estigma ou que são relativamente analfabetos.

---

[54] Desde o início tais líderes podem ser recrutados entre os membros das categorias que ambicionam deixar de viver como seus iguais e que são relativamente capazes de fazê-lo, dando lugar ao que Lewin (*op. cit.*, pp. 195-196) chamou de "Liderança da Periferia".

Não pretendo sugerir com isso que os profissionais são o único recurso público que os estigmatizados têm para denunciar a sua situação de vida; há outros recursos. Cada vez que alguma pessoa que tem um estigma particular alcança notoriedade, seja por infringir a lei, ganhar um prêmio ou ser o primeiro em sua categoria, pode-se tornar o principal motivo de tagarelice de uma comunidade local; esses acontecimentos podem até mesmo ser notícia nos meios de comunicação da sociedade mais ampla. De qualquer forma, todos os que compartilham o estigma da pessoa em questão tornam-se subitamente acessíveis para os normais que estão mais imediatamente próximos e tornam-se sujeitos a uma ligeira transferência de crédito ou descrédito. Dessa maneira, sua situação leva-os facilmente a viver num mundo de heróis e vilãos de sua própria espécie, sendo a sua relação com esse mundo sublinhada por pessoas próximas, normais ou não, que lhes trazem notícias do desempenho de indivíduos de sua categoria.

Considerei que há um conjunto de indivíduos dos quais o estigmatizado pode esperar algum apoio: aqueles que compartilham seu estigma e, em virtude disto, são definidos e se definem como seus iguais. O segundo conjunto é composto — tomando de empréstimo um termo utilizado por homossexuais — pelos "informados", ou seja, os que são normais mas cuja situação especial levou a privar intimamente da vida secreta do indivíduo estigmatizado e a simpatizar com ela, e que gozam, ao mesmo tempo, de uma certa aceitação, uma certa pertinência cortês ao clã. Os "informados" são os homens marginais diante dos quais o indivíduo que tem um defeito não precisa se envergonhar nem se autocontrolar, porque sabe que será considerado como uma pessoa comum. Pode-se citar um exemplo tomado do mundo das prostitutas:

> "Embora despreze a respeitabilidade, a prostituta, particularmente a *call girl*, é altamente sensível à sociedade bem-educada e procura refugiar-se, em suas horas vagas, no seio de artistas, escritores, atores e pseudointelectuais boêmios, onde é aceita como uma personalidade não convencional, sem ser uma curiosidade."[55]

---

[55] J. Stearn, *Sisters of the Night* (Nova York: Popular Library, 1961), p. 181.

Antes de adotar o ponto de vista daqueles que têm um estigma particular, a pessoa normal que está se convertendo em "informada" tem, primeiramente, que passar por uma experiência pessoal de arrependimento sobre a qual existem numerosos registros literários.[56] E depois que o simpatizante normal coloca-se à disposição dos estigmatizados deverá aguardar, com certa frequência, a sua validação como membro aceito. A pessoa não deve apenas se oferecer mas deve, também, ser aceita. Algumas vezes, é claro, a iniciativa do último passo parece ser tomada pelo normal; o que se segue é um exemplo deste ponto.

"Não sei se posso fazê-lo ou não, mas deixem-me contar um incidente. Certa vez fui admitido em um grupo de meninos negros que tinham aproximadamente a minha idade e com os quais eu costumava ir pescar. Quando comecei a sair com eles, o termo "negro" era cuidadosamente utilizado em minha presença. Aos poucos, na medida em que saíamos juntos para pescar com cada vez maior frequência, eles começaram a brincar entre si e a chamar uns aos outros de "preto".* A mudança real estava na utilização que eles faziam da palavra "preto" quando brincavam, palavra que anteriormente nem sequer era mencionada.

Um dia, quando estávamos nadando, um menino me empurrou, fingindo violência e eu lhe disse: 'Não me venha com esse papo de preto.' Ele respondeu: 'Filho da mãe' com um grande sorriso. A partir desse momento, todos podíamos empregar a palavra "preto", mas as velhas categorias haviam mudado totalmente. Nunca esquecerei, enquanto viver, a sensação de meu estômago após haver usado a palavra "preto" sem qualquer restrição."[57]

Um tipo de pessoa "informada" é aquele cuja informação vem de seu trabalho num lugar que cuida não só

---

[56] N. Mailer, "The Homossexual Villain", em *Advertisements for Myself* (Nova York, Signet Books, 1960), pp. 200-205, nos dá um modelo de confissão detalhando o ciclo básico de intolerância, experiência esclarecedora e, finalmente, retratação do preconceito através da confissão pública. Ver também a introdução de Angus Wilson a Carling, *op. cit.*, para uma história confessional da redefinição que Wilson faz dos inválidos.

* A diferenciação feita no original é entre "negro" e "nigger", que traduzi respectivamente por "negro" e "preto". Em inglês a palavra "nigger" tem um sentido altamente depreciativo quando usada por brancos em referência a negros, mas não tem necessariamente esse sentido quando usada entre negros. (N. T.)

[57] Ray Birdwhistell, em B. Schaffner, ed., *Group Processes,* Transactions of the Second (1955) Conference (Nova York: Josiah Macy, Jr. Foundation, 1956), p. 171.

das necessidades daqueles que têm um estigma particular quanto das ações empreendidas pela sociedade em relação a eles. Por exemplo, as enfermeiras e os terapeutas podem ser "informados"; eles podem vir a saber mais sobre um determinado tipo de equipamento de prótese do que o paciente que deve utilizá-lo para minimizar sua deformação. Os empregados atenciosos de lojas de doces e balas frequentemente são "informados", assim como são os garçons de bares de homossexuais e as empregadas das prostitutas de Mayfair.[58] A polícia, devido ao fato de ter que lidar constantemente com criminosos, pode se tornar "informada" em relação a eles, levando um profissional a declarar que "... de fato os policiais são as únicas pessoas que além de outros criminosos, o aceitam pelo que ele é".[59]

Um segundo tipo de pessoa "informada" é o indivíduo que se relaciona com um indivíduo estigmatizado através da estrutura social — uma relação que leva a sociedade mais ampla a considerar ambos como uma só pessoa. Assim, a mulher fiel do paciente mental, a filha do ex-presidiário, o pai do aleijado, o amigo do cego a família do carrasco,[60] todos estão obrigados a compartilhar um pouco o descrédito do estigmatizado com o qual eles se relacionam. Uma resposta a esse destino é abraçá-lo e viver dentro do mundo do familiar ou amigo do estigmatizado. Dever-se-ia acrescentar que as pessoas que adquirem desse modo um certo grau de estigma podem, por sua vez, relacionar-se com outras que adquirem algo da enfermidade de maneira indireta. Os problemas enfrentados por uma pessoa estigmatizada espalham-se em ondas de intensidade decrescente. Pode-se verificar isto por uma coluna de conselhos de um jornal:

"Querida Ann Landers:

Sou uma menina de 12 anos que é excluída de toda atividade social porque meu pai é um ex-presidiário. Tento ser amável e simpática com todo mundo mas não adianta. Minhas colegas de escola me disseram que suas mães não querem que elas andem comigo pois isso não seria bom para a

---

[58] C. H. Rolph, ed., *Women of the Streets* (Londres, Secker & Warburg, 1955), pp. 78-9.

[59] Parker e Allerton, *op. cit.*, p. 150.

[60] J. Atholl, *The Reluctant Hangman* (Londres: John Long Ltd., 1956), p. 61.

sua reputação. Os jornais fizeram publicidade negativa de meu pai e apesar de ele ter cumprido sua pena ninguém esquecerá do fato.

Há algo que eu possa fazer? Estou muito triste porque não gosto de estar sempre sozinha. Minha mãe procura fazer com que eu saia com ela, mas quero a companhia de pessoas da minha idade. Por favor, dê-me algum conselho.

UMA PROSCRITA."[61]

Em geral, a tendência para a difusão de um estigma do indivíduo marcado para as suas relações mais próximas explica por que tais relações tendem a ser evitadas ou a terminar, caso já existam.

As pessoas que têm um estigma aceito fornecem um modelo de "normalização"[62] que mostra até que ponto podem chegar os normais quando tratam uma pessoa estigmatizada como se ela fosse um igual. (A normalização deve ser diferençada da "normificação", ou seja, o esforço, por parte de um indivíduo estigmatizado, em se apresentar como uma pessoa comum, ainda que não esconda necessariamente o seu defeito.) Além disso, pode ocorrer um culto do estigmatizado, sendo a resposta estigmafóbica dos normais neutralizada pela resposta estigmáfila dos "informados". As pessoas que têm um estigma aceito podem colocar tanto o estigmatizado quanto o normal numa posição desconfortável: estando sempre prontos a suportar a carga do que não é "realmente seu", podem colocar os demais frente a uma moralidade excessiva; tratando o estigma como uma questão neutra, que deve ser encarada diretamente e sem rodeios, expõem a si mesmos e aos estigmatizados a uma interpretação errônea, já que os normais podem notar uma certa agressividade neste comportamento.[63]

A relação entre o estigmatizado e seu aliado pode ser difícil. A pessoa que tem um defeito pode sentir que a qualquer momento pode haver uma volta ao estado anterior, sobretudo quando as defesas diminuem e a dependência aumenta. Nas palavras de uma prostituta:

---

[61] *Berkeley Daily Gazette*, 12 de abril de 1961.

[62] Esta ideia deriva de C. G. Schwartz, "Perspectives on Deviance – Wives' Definitions of their Husbands' Mental Illness", *Psychiatry*, XX (1957), 275-291.

[63] Para um exemplo em relação aos cegos, ver A. Gowman, "Blindness and the Role of the Companion", *Social Problems*, IV (1956), 68-75.

"Bem, eu queria ver o que aconteceria se eu me adiantasse aos fatos. Expliquei a ele que, se estivéssemos casados e brigássemos, ele colocaria a culpa em mim. Ele disse que não, mas os homens são assim mesmo."[64]

Por outro lado, o indivíduo que tem um estigma de cortesia pode descobrir que deve sofrer da maior parte das privações típicas do grupo que assumiu e, ainda assim, que não pode desfrutar a autoexaltação que é a defesa comum frente a tal tratamento. Além disso, de maneira semelhante à que ocorrer com o estigmatizado em relação a ele, pode duvidar de que, em última análise, seja realmente "aceito" pelo grupo.[65]

A Carreira Moral

As pessoas que têm um estigma particular tendem a ter experiências semelhantes de aprendizagem relativa à sua condição e a sofrer mudanças semelhantes na concepção do eu — uma "carreira moral" semelhante, que é não só causa como efeito do compromisso com uma sequência semelhante de ajustamentos pessoais. (A história natural de uma categoria de pessoas com um estigma deve ser claramente diferençada da história natural do próprio estigma — a história das origens, difusão e declínio da capacidade de um atributo servir como estigma numa sociedade particular, por exemplo, o divórcio na classe média alta da sociedade americana.) Uma das fases desse processo de socialização é aquela na qual a pessoa estigmatizada aprende e incorpora o ponto de vista dos normais, adquirindo, portanto, as crenças da sociedade mais ampla em relação à identidade e uma ideia geral do que significa possuir um estigma particular. Uma outra fase é aquela na qual ela aprende que possui um estigma particular e, dessa vez detalhadamente, as consequências de possuí-lo. A sincronização e interação dessas duas fases iniciais da carreira moral formam modelos importantes, estabelecendo as bases para um desenvolvimento posterior e fornecendo meios de distinguir entre as carreiras morais

[64] Stearn, *op. cit.*, p. 99.

[65] A gama de possibilidades é muito bem explorada em C. Brossard, "Plaint of a Gentile Intellectual", em Brossard, ed., *The Scene Before You* (Nova York: Holt, Rinehart & Winston, 1955), pp. 87-91.

disponíveis para os estigmatizados. Podem-se mencionar quatro desses modelos.

Um deles envolve os que possuem um estigma congênito e que são socializados dentro de sua situação de desvantagem, mesmo quando estão aprendendo e incorporando os padrões frente aos quais fracassam.[66] Por exemplo, um órfão aprende que é natural e normal que as crianças tenham pais e aprende, aos mesmo tempo, o que significa não tê-lo. Depois de passar os primeiros 16 anos de sua vida na instituição ele pode sentir ainda, mais tarde, que sabe a significação de um pai para seu filho.

Um segundo modelo deriva da capacidade de uma família e, em menor grau, da vizinhança local, em se constituir numa cápsula protetora para seu jovem membro. Dentro de tal cápsula, uma criança estigmatizada desde o seu nascimento pode ser cuidadosamente protegida pelo controle de informação. Nesse círculo encantado, impede-se que entrem definições que o diminuam, enquanto se dá amplo acesso a outras concepções da sociedade mais ampla, concepções que levam a criança encapsulada a se considerar um ser humano inteiramente qualificado que possui uma identidade normal quanto a questões básicas como sexo e idade.

O momento crítico na vida do indivíduo protegido, aquele em que o círculo doméstico não pode mais protegê-lo, varia segundo a classe social, lugar de residência e tipo de estigma mas, em cada caso, a sua aparição dará origem a uma experiência moral. Assim, frequentemente se assinala o ingresso na escola pública como a ocasião para a aprendizagem do estigma, experiência que às vezes se produz de maneira bastante precipitada no primeiro dia de aula, com insultos, caçoadas, ostracismo e brigas.[67] É interessante notar que, quanto maiores as "desvantagens" da criança, mais provável é que ela seja enviada para uma escola de pessoas de sua espécie e que conheça mais rapidamente a opinião que o público em geral tem

---

[66] Para uma discussão deste modelo, ver A. R. Lindesmith e A. L. Strauss, *Social Psychology*, ed. revista (Nova York: Holt, Rinehart & Winston, 1956), pp. 180-183.

[67] Pode-se encontrar um exemplo da experiência de uma pessoa cega em R. Criddle, *Love Is Not Blind* (Nova York: W. W. Norton & Co., 1953), p. 21; a experiência de uma pessoa anã é relatada em H. Viscardi, Jr., *A Man's Stature* (Nova York: The John Day Co., 1952), pp. 13-14.

dela. Dir-lhe-ão que junto a "seus iguais" se sentirá melhor e assim aprenderá que aquilo que considerava como o universo de seus iguais estava errado e que o mundo que é realmente o seu é bem menor. Deve-se acrescentar que quando, na infância, o estigmatizado consegue atravessar seus anos de escola ainda com algumas ilusões, o estabelecimento de relações ou a procura de trabalho o colocarão, amiúde, frente ao momento da verdade. Em alguns casos, o que ocorre é uma crescente probabilidade de revelação incidental:

> "Creio que a primeira vez que realmente me dei conta de minha situação e a primeira dor profunda que ela me causou foi num dia, casualmente, quando estava na praia com o meu grupo de amigos do início da adolescência. Eu estava deitada na areia e acho que os rapazes e moças pensaram que eu estivesse dormindo. Um deles disse, então: 'Gosto muito de Domenica, mas nunca sairia com uma garota cega.' Não conheço nenhum preconceito que rejeite uma pessoa de maneira tão absoluta."[68]

Em outros casos, o que está envolvido é uma sistemática exposição ao perigo, como sugere uma vítima de paralisia cerebral:

> "Com uma exceção extremamente dolorosa, durante o período em que estive sob a custódia protetora da vida familiar ou dos programas da Universidade e vivi sem exercer meus direitos como um cidadão adulto, as forças da sociedade foram cordiais e benévolas. Foi após ter saído da Universidade e da Escola de Comércio e depois de haver realizado um esforço incalculável como trabalhador voluntário em programas comunitários, que mergulhei nas superstições e preconceitos medievais do mundo dos negócios. Procurar trabalho era semelhante a estar frente a um pelotão de fuzilamento. Os empregadores ficavam chocados com meu descaramento em procurar emprego."[69]

Um terceiro modelo de socialização é exemplificado pelos que se tornam estigmatizados numa fase avançada da vida ou aprendem muito tarde que sempre foram desacreditáveis — o primeiro caso não envolve uma reorganização radical da visão de seu passado, mas o segundo sim. Tais indivíduos ouviram tudo sobre normais e estigmatizados muito antes de serem obrigados a considerar a si próprios como deficientes. É provável que tenham um

---

[68] Henrich e Kriegel, *op. cit.*, p. 186.
[69] *Ibid.*, p. 156.

problema todo especial em identificar-se e uma grande facilidade para se autocensurarem:

"Antes da colostomia, todas as vezes em que eu percebia um cheiro no ônibus ou no metrô, ficava muito aborrecido. Eu achava que as pessoas eram horríveis, que não tomavam banho ou que deveriam ter ido ao banheiro antes de viajar. Costumava pensar que a causa do cheiro estava nos alimentos que elas ingeriam e me sentia profundamente enojado. Para mim elas eram pessoas sujas, imundas. É lógico que na primeira oportunidade mudava de lugar ou, se isto não era possível, mostrava toda a minha repugnância. Por isso, acredito que as pessoas mais jovens sintam em relação ao meu cheiro a mesma coisa que eu sentia."[70]

Embora haja alguns casos de indivíduos que só na vida adulta descobrem que pertencem a um grupo tribal estigmatizado ou que seus pais possuem um defeito moral contagioso, o mais comum é o de desvantagens físicas que "surgem inesperadamente" quando se é mais velho:

"Mas, de repente, acordei uma manhã e descobri que não conseguia ficar de pé. Eu tinha poliomielite e a poliomielite é simplesmente assim. Sentia-me como uma criança pequena que é jogada dentro de enorme poço negro, e a única coisa de que tinha certeza era que eu não poderia me levantar a não ser que alguém me ajudasse. Parece que a educação, as aulas e os ensinamentos de meus pais que recebi durante 24 anos não me tornaram uma pessoa capaz de ajudar-se a si mesma. Eu era uma pessoa igual a qualquer outra — normal, combativa, alegre, cheia de projetos — e, de repente, aconteceu alguma coisa! Aconteceu e eu tornei-me um estranho. Muito mais estranho para mim mesmo do que para os demais. Nem meus sonhos me conheciam, não sabiam o que podiam me deixar fazer — quando contava que ia a festas ou bailes, havia sempre uma estranha condição ou limitação, sempre a mesma, não explicitada nem mencionada. Tive imediatamente o mesmo enorme conflito mental e emocional de uma mulher que leva vida dupla. Tudo isso era irreal e me deixava muito confuso mas eu não podia deixar de dar-lhe importância."[71]

Nesse caso, é provável que os médicos sejam as pessoas mais indicadas para informar ao doente sobre sua situação futura.

Um quarto modelo é ilustrado por aqueles que, inicialmente, são socializados numa comunidade diferente, dentro ou fora das fronteiras geográficas da sociedade

---

[70] Orbach *et al.*, *op. cit.*, p. 165.

[71] N. Linduska, *My Polio Past* (Chicago: Pellegrini & Cudahy, 1947), p. 177.

normal, e que, devem, portanto, aprender uma segunda maneira de ser, ou melhor, aquela que as pessoas à sua volta consideram real e válida.

Deve-se acrescentar que quando um indivíduo adquire tarde um novo ego estigmatizado, as dificuldades que sente para estabelecer novas relações podem, aos poucos, estender-se às antigas. As pessoas com as quais ele passou a se relacionar depois do estigma podem vê-lo simplesmente como uma pessoa que tem um defeito; as amizades anteriores, à medida que estão ligadas a uma concepção do que ele foi, podem não conseguir tratá-lo, nem com um tato formal nem com uma aceitação familiar total:

> "A minha tarefa (como escritor cego que entrevista futuros clientes de sua produção literária) consistia em fazer com que os homens que eu ia visitar se sentissem à vontade — o inverso da situação habitual. O curioso é que eu achava esse procedimento muito mais fácil com homens que eu não havia conhecido antes. Talvez se devesse ao fato de que, com os estranhos, não havia recordações a ocultar antes de se tratar dos negócios e não havia, portanto, um desagradável contraste com o presente."[72]

Sem considerar o modelo geral ilustrado pela carreira moral do indivíduo estigmatizado, é interessante considerar-se a fase de experiência durante a qual ele aprende que é portador de um estigma, porque é provável que nesse momento ele estabeleça uma nova relação com os outros estigmatizados.

Em alguns casos, o único contato que o indivíduo terá com os seus iguais é muito rápido, mas suficiente para mostrar-lhe que existem outras pessoas iguais a ele:

> "Quando Tommy chegou na clínica pela primeira vez, havia ali dois meninos, ambos sem uma das orelhas por um defeito congênito. Quando Tommy os viu, levou vagarosamente a mão direita à sua orelha defeituosa e, com os olhos muito abertos, disse a seu pai: 'Há outro menino com uma orelha igual à minha'."[73]

No caso do indivíduo cuja desvantagem física é recente, seus companheiros de sofrimento que estão mais avançados do que ele na manipulação do defeito far-lhe-

---

[72] Chevigny, *op. cit.*, p. 136.
[73] Macgregor *et al.*, *op. cit.*, pp. 19-20.

ão provavelmente uma série de visitas para dar-lhe as boas vindas ao clube e para instruí-lo sobre o modo de adaptar-se física e psiquicamente:

"Na realidade, a primeira vez que tomei conhecimento de que há mecanismos de adaptação foi ao comparar dois companheiros meus, também pacientes do Hospital de Olhos e Ouvidos. Eles costumavam visitar-me quando estava deitado e cheguei a conhecê-los bastante bem. Ambos eram cegos há sete anos. Eles tinham mais ou menos a mesma idade — pouco mais de 30 anos — e haviam feito universidade."[74]

Nos muitos casos em que a estigmatização do indivíduo está associada com sua admissão a uma instituição de custódia, como uma prisão, um sanatório ou um orfanato, a maior parte do que ele aprende sobre o seu estigma ser-lhe-á transmitida durante o prolongado contato íntimo com aqueles que irão transformar-se em seus companheiros de infortúnio.

Como já se sugeriu, quando o indivíduo compreende pela primeira vez quem são aqueles que de agora em diante ele deve aceitar como seus iguais, ele sentirá, pelo menos, uma certa ambivalência porque estes não só serão pessoas nitidamente estigmatizadas e, portanto, diferentes da pessoa normal que ele acredita ser, mas também poderão ter outros atributos que, segundo a sua opinião, dificilmente podem ser associados ao seu caso. O que pode terminar como maçonaria pode começar com um estremecimento. Uma garota que havia ficado cega recentemente visita a Casa da Luz imediatamente após deixar o hospital:

"Minhas perguntas sobre um cachorro-guia foram polidamente deixadas de lado. Outro assistente social cego encarregou-se de me mostrar o lugar. Visitamos a biblioteca Braille, as salas de aula, os salões do clube onde se reuniam os membros cegos dos grupos de música e teatro; a sala da recreação onde, em ocasiões festivas, os cegos dançavam, as quadras de jogos onde eles jogavam, o restaurante onde todos se reuniam para comer, as enormes oficinas onde trabalhavam para a subsistência fazendo panos de chão e escovas, tapetes, ou empahando cadeiras. À medida que passávamos de um cômodo a outro, eu podia ouvir o barulho de pés que se arrastavam, vozes em surdina e toque-toque de bengalas. Aqui estava o mundo seguro e segregado dos que não enxergavam — um mundo completamente

[74] Chevigny, *op. cit.*, p. 35.

diferente, segundo me afirmou o assistente social, do que eu acabava de deixar...

Esperavam que eu integrasse esse mundo, que desistisse de minha profissão e ganhasse a vida fazendo panos de chão. A Casa da Luz ficaria muito feliz em me ensinar a fazê-los. Meu destino era passar o resto de minha vida fazendo panos de chão com outras pessoas cegas, comendo com outras pessoas cegas e dançando com outros cegos. Na medida em que esta imagem crescia em minha mente, o medo me dava náuseas. Eu nunca havia deparado com uma segregação tão destrutiva."[75]

Dada a ambivalência da vinculação do indivíduo com a sua categoria estigmatizada, é compreensível que ocorram oscilações no apoio, identificação e participação que tem entre seus iguais. Haverá "ciclos de incorporação" através dos quais ele vem a aceitar as oportunidades especiais de participação intragrupal ou a rejeitá-las depois de havê-las aceito anteriormente.[76] Haverá oscilações correspondentes nas crenças sobre a natureza do próprio grupo e sobre a natureza dos normais. Por exemplo, a adolescência (e o grupo de companheiros da escola secundária) pode acarretar um declínio acentuado da identificação intragrupal e um nítido aumento na identificação com os normais.[77] As fases posteriores da carreira moral do indivíduo devem ser buscadas nessas mudanças de participação e crença. A relação do estigmatizado com a comunidade informal e as organizações formais a que ele pertence em função de seu estigma é, então, crucial. Essa relação, por exemplo, estabelecerá grande distância entre aqueles cuja diferença cria muito pouco de um novo "nós" e aqueles, como os membros de grupos minoritários, que se consideram parte de uma comunidade bem organiza-

---

[75] Keitlen, *op. cit.*, pp. 37-38. Liduska, *op. cit.*, pp. 159-165, fornece uma descrição das primeiras vicissitudes da identificação que um paciente de poliomielite hospitalizado estabelece com outros aleijados. J. W. Johnson, em *The Autobiography of an Ex-Coloured Man* (ed. rev., Nova York, Hill & Wang, American Century Series, 1960), pp. 22-23, oferece um relato, em forma de ficção, de uma reidentificação racial.

[76] Pode-se encontrar um enunciado geral em dois trabalhos de E. C. Hughes, "Social Change and Status Protest", *Phylon*, Primeiro Trimestre, 1949, 58-65, e "Cycles and Turning Points", em *Men and Their Work* (Nova York: Free Press of Glencoe, 1958).

[77] M. Yarrow, "Personality Development and Minority Group Membership", em M. Sklare, *The Jews* (Nova York: Free Press of Glencoe, 1960), pp. 468-470.

da com tradições estabelecidas — uma comunidade que formula consideráveis exigências de renda e lealdade, que define o membro como alguém que se deve orgulhar de sua doença e não buscar melhora. De qualquer forma, quer o grupo estigmatizado esteja ou não estabelecido, é, em grande parte, em relação a esse grupo-de-iguais que é possível discutir a história natural e a carreira moral do indivíduo estigmatizado.

Ao rever a sua própria carreira moral, o estigmatizado pode escolher e elaborar retrospectivamente as experiências que lhe permitem explicar a origem das crenças e práticas que ele agora adota em relação a seus iguais e aos normais. Um acontecimento em sua vida pode, assim, ter um duplo significado na carreira moral, em primeiro lugar como causa objetiva imediata de uma crise real, e depois (e mais facilmente demonstrável), como meio para explicar uma posição comumente tomada. Uma experiência selecionada quase sempre para esse último objetivo é aquela em que o indivíduo recentemente estigmatizado aprende que os membros mais antigos do grupo se parecem bastante com seres humanos comuns:

"Quando eu (uma jovem iniciante na prostituição e que ia se encontrar pela primeira vez com sua Madame) dobrei na Rua 4, tornei a perder a coragem e estava quase batendo em retirada quando Manie saiu de um restaurante, atravessou a rua e me cumprimentou afetuosamente. O porteiro, que veio abrir a porta quando tocamos a campainha, disse que a Dona Laura estava em seu quarto e nos mostrou o caminho. Vi-me frente a uma mulher de boa aparência e de meia-idade que não tinha nada da criatura horrível que eu havia imaginado. Deu-me boas-vindas com uma voz suave e educada. Tudo nela evidenciava eloquentemente as suas potencialidades para a maternidade que, instintivamente, procurei as crianças que deveriam estar penduradas em suas saias".[78]

Outro exemplo é o de um homossexual que se refere à sua mudança:

"Encontrei um homem que havia sido meu colega de escola... Ele, é claro, era homossexual e tomou como certo que eu o era também. Eu estava surpreso e bastante impressionado. Ele não se parecia nem um pouco com a imagem popular de um homossexual, pois era de boa compleição,

[78] *Madeleine, an Autobiography* (Nova York: Pyramid Books, 1961), pp. 36-37.

viril e estava sobriamente vestido. Isso era algo de novo para mim. Embora eu estivesse perfeitamente preparado para admitir que poderia haver amor entre homens, sempre senti uma repulsa pelos homossexuais declarados que havia encontrado, devido à sua futilidade, sua maneira afetada e sua tagarelice sem fim. Compreendi, então, que esses formavam somente uma pequena parte do mundo homossexuais, embora a mais fácil de ser percebida..."[79]

Um aleijado nos fornece uma afirmação semelhante:

"Se eu tivesse de escolher um conjunto de experiências que finalmente me convenceram da importância desse problema (autoimagem) e de que eu devia travar minhas próprias batalhas de identificação, esse conjunto englobaria os incidentes que me fizeram compreender profundamente que os aleijados podem ser identificados com outras características que não, a sua desvantagem física. Dei-me conta de que os aleijados poderiam ser como qualquer outra pessoa, de boa aparência, encantadores, feios, adoráveis, estúpidos, brilhantes, e descobri que eu poderia amar ou odiar um aleijado a despeito de sua deficiência."[80]

Deve-se acrescentar que ao refletir sobre o momento em que descobriu que as pessoas que têm o seu estigma são pessoas iguais a qualquer outra, o estigmatizado pode chegar a tolerar que os amigos que tinha antes do estigma considerem desumanos aqueles a quem ele aprendeu a ver como pessoas tão completas quanto ele. Assim, ao rever a sua experiência num circo, uma jovem percebe em primeiro lugar que ela aprendeu que seus companheiros de trabalho não são monstros e, em segundo lugar, que seus amigos anteriores ao circo tinham medo de que ela viajasse sozinha de ônibus junto com outros membros da troupe."[81]

Uma outra crise — considerada retrospectivamente, se não originalmente — é a experiência do isolamento e da falta de habilitação, geralmente um período de hospitalização que mais tarde vem a ser considerado como a época em que o indivíduo podia pensar em seu problema, aprender sobre si mesmo, adaptar-se à sua situação e

---

[79] P. Wildeblood, *Against the Law* (Nova York: Julian Messner, 1959), pp. 23-24.

[80] Carling, *op. cit.*, p. 21.

[81] C. Clausen, *I Love You Honey But the Season's Over* (Nova York: Holt, Rineheart & Winston, 1961), p. 217.

alcançar uma nova compreensão daquilo que é importante e merece ser buscado na vida.

Deve-se acrescentar que não só as experiências das pessoas são identificadas retrospectivamente com momentos decisivos, mas também as que já foram superadas podem ser empregadas assim. Por exemplo, a leitura da literatura do grupo pode dar uma experiência que é sentida e que se pretende que seja reorganizadora:

> "Não creio que seja muita pretensão dizer que *Uncle Tom's Cabin* era um panorama leal e verdadeiro da escravidão: seja como for, esse livro abriu meus olhos em relação a quem e o que eu era e o que o meu país me considerava; na verdade, deu-me uma orientação."[82]

---

[82] Johnson, *op. cit.*, p. 42. A novela de Johnson, como outras novelas desse tipo, fornece um bom exemplo da elaboração de mitos, organizando literariamente muitas das experiências morais cruciais e mudanças também cruciais a que estão sujeitos, retrospectivamente, aqueles que estão numa categoria estigmatizada.

2. CONTROLE DE INFORMAÇÃO e IDENTIDADE PESSOAL

O Desacreditado e o Desacreditável

Quando há uma discrepância entre a identidade social real de um indivíduo e sua identidade virtual, é possível que nós, normais, tenhamos conhecimento desse fato antes de entrarmos em contato com ele ou, então, que essa discrepância se torne evidente no momento em que ele nos é apresentado. Esse indivíduo é uma pessoa desacreditada e foi dele, fundamentalmente, que me ocupei até agora. Como foi sugerido, é provável que não reconheçamos logo aquilo que o torna desacreditado e enquanto se mantém essa atitude de cuidadosa indiferença a situação pode-se tornar tensa, incerta e ambígua para todos os participantes, sobretudo a pessoa estigmatizada.

Uma possibilidade fundamental na vida da pessoa estigmatizada é a colaboração que presta aos normais no sentido de atuar como se a sua qualidade diferencial manifesta não tivesse importância nem merecesse atenção especial. Entretanto, quando a diferença não está imediatamente aparente e não se tem dela um conhecimento prévio (ou, pelo menos, ela não sabe que os outros a conhecem), quando, na verdade, ela é uma pessoa desacreditável, e não desacreditada, nesse momento é que aparece a segunda possibilidade fundamental em sua vida. A questão que se coloca não é a da manipulação de tensão gerada durante os contatos sociais e, sim, da manipulação de informação sobre o seu defeito. Exibi-lo ou ocultá-lo; contá-lo ou não contá-lo; revelá-lo ou escondê-lo; mentir ou não mentir; e, em cada caso, para que, como, quando e onde. Por exemplo, quando o paciente mental está no sanatório e quando se encontra com membros adultos de sua família ele é tratado com tato, como se fosse sadio quando, na realidade, há dúvidas sobre isso, mesmo que não de sua parte, ou, então, ele é tratado como insano quando sabe que isso não é justo. Mas para o ex-paciente mental, o problema pode ser bem diferente; ao invés de encarar o preconceito contra si mesmo, ele deve considerar a sua aceitação involuntária pelos indivíduos que têm preconceitos contra o tipo de pessoa que ele pode revelar ser. Onde quer que ele vá, seu comportamento confirmará, falsamente, para as outras pessoas o fato de que eles estão em companhia do que eles na verdade esperam. Mas podem descobrir, na realidade, que isso não ocorre, ou seja, não se trata de uma pessoa mentalmente sadia como eles próprios. Deliberadamente ou não, o ex-paciente mental esconde informações sobre sua identidade social verdadeira, recebendo e aceitando um tratamento baseado em falsas suposições a seu respeito. A manipulação da informação oculta que desacredita o eu, ou seja, o "encobrimento", é o segundo problema geral que desejo focalizar nestas notas. Existe também o ocultamento de fatos positivos — encobrimento inverso — mas esse fato não é relevante para nós.[1]

A Informação Social

No estudo do estigma, a informação mais relevante tem determinadas propriedades. É uma informação sobre um indivíduo, sobre suas características mais ou menos permanentes, em oposição a estados de espírito, sentimentos ou intenções que ele poderia ter num cer-

---

[1] Para um exemplo de encobrimento invertido, ver "H. E. R. Cules", "Ghost-Writer and Failure", em P. Toynbee, ed., *Underdogs* (Londres: Weidenfeld & Nicolson, 1961), Cap. 2, pp. 30-39. Há muitos outros exemplos. Conheci uma médica que evitava usar símbolos externos de seu *status*, tal como plásticos de identificação no carro. O único lugar onde havia referência à sua profissão era num cartão de identificação que carregava em sua carteira. Quando se encontrava frente a um acidente na rua no qual a vítima já havia recebido socorro médico ou quando tal socorro era inútil, ela, depois de examinar a vítima a distância, do meio do círculo de pessoas que rodeavam, seguia tranquilamente o seu caminho sem mencionar a sua condição. Nessas situações ela era o que se pode chamar de uma "personificadora".

to momento.[2] Essa informação, assim como o signo que a transmite, é reflexiva e corporificada, ou seja, é transmitida pela própria pessoa a quem se refere, através da expressão corporal na presença imediata daqueles que a recebem. Aqui, chamarei de "social" à informação que possui todas essas propriedades. Alguns signos que transmitem informação social podem ser acessíveis de forma frequente e regular, e buscados e recebidos habitualmente; esses signos podem ser chamados de "símbolos".

A informação social transmitida por qualquer símbolo particular pode simplesmente confirmar aquilo que outros signos nos dizem sobre o indivíduo, completando a imagem que temos dele de forma redundante e segura. Exemplos disso são os distintivos na lapela que atestam a participação em um clube social e, em alguns contextos, a aliança que um homem tem em sua mão. Entretanto, a informação social transmitida por um símbolo pode estabelecer uma pretensão especial a prestígio, honra ou posição de classe desejável — uma pretensão que não poderia ter sido apresentada de outra maneira ou, caso o fosse, não poderia ser logo aceita. Tal signo é popularmente chamado de "símbolo de *status*", embora a expressão "símbolo de prestígio" possa ser mais exata, já que o primeiro termo é empregado de modo mais adequado quando o referente é uma determinada posição social bem organizada. Símbolos de prestígio podem ser contrapostos a *símbolos de estigma*, ou seja, signos que são especialmente efetivos para despertar a atenção sobre uma degradante discrepância de identidade que quebra o que poderia, de outra forma, ser um retrato global coerente, com uma redução consequente em nossa valorização do indivíduo. A cabeça raspada das colaboracionistas na Segunda Guerra Mundial, assim como certos solecismos usuais, através dos quais uma pessoa que quer imitar as maneiras e as roupas da classe média repete erradamente uma palavra ou a pronuncia várias vezes de maneira incorreta, são exemplos disto.

---

[2] A diferença entre informação relativa a estados de espírito e outros tipos de informação é tratada em G. Stone, "Appearance and the Self", em A. Rose, *Human Behavior and Social Processes* (Boston: Houghton Mifflin, 1962), pp. 86-118. Ver também E. Goffman, *The Presentation of Self in Everyday Life* (Nova York: Doubleday & Co., Anchor Books, 1959), pp. 24-25.

Além dos símbolos de prestígio e dos símbolos de estigma, pode-se achar uma outra possibilidade, ou seja, um signo que tende — real ou ilusoriamente — a quebrar uma imagem, de outra forma coerente, mas nesse caso numa direção positiva desejada pelo ator, buscando não só estabelecer uma nova pretensão mas lançar sérias dúvidas sobre a validade da identidade virtual. Referir-me-ei aqui aos *desidentificadores*. Um exemplo é o 'inglês correto' de um educado negro do Norte que visita o Sul;[3] outro é o turbante e o bigode usados por alguns negros de classe baixa urbana.[4] Um estudo sobre analfabetos nos dá outro exemplo:

"Portanto, quando as metas têm uma orientação pronunciada ou imperativa e existe uma grande probabilidade de que ser definido como analfabeto constitui uma barreira para a consecução do objetivo, é provável que o analfabeto tente "passar por" alfabetizado*... A popularidade que gozavam no grupo estudado de lentes de vidro com pesadas armações de osso (os chamados "bop glasses") pode ser considerada como uma tentativa de se igualar ao estereótipo do homem de negócios, professor, jovem intelectual e, especialmente, o músico de *jazz* de alto *status*.[5]

Um especialista nova-iorquino nas artes da vadiagem nos dá outro exemplo:

"Para ler um livro depois das sete e meia da noite no Grand Central ou na Penn Station uma pessoa deve usar óculos com armações de osso ou então aparentar ser excepcionalmente próspera. Caso contrário, estará sujeita a ser espreitada. Por outro lado, os leitores de jornal nunca parecem chamar a atenção e mesmo o mais maltrapilho vagabundo pode sentar-se no Grand Central durante a noite inteira sem ser molestado se continuar a ler um jornal."[6]

Deve-se observar que nessa discussão sobre símbolos de prestígio, símbolos de estigma e desidentificadores, foram considerados os signos que comumente transmitem

---

[3] G. J. Fleming, "My Most Humiliating Jim Crow Experience", *Negro Digest* (junho, 1954), 67-68.

[4] B. Wolfe, "Ecstatic in Blackface", *Modern Review*, III (1950), 204.

* Em inglês *try to "pass" as literate.* Daí *passing* ser a palavra em inglês para o que traduzimos por "encobrimento". (N.T.)

[5] Freeman e Kasenbaum, *op. cit.*, p. 372.

[6] E. Love, *Subways Are for Sleeping* (Nova York: Harcourt, Brace & World, 1957), p. 28.

informação social. Esses símbolos devem ser diferençados dos símbolos efêmeros que não foram institucionalizados como canais de informação. Quando tais signos são reivindicações de prestígio, eles podem ser chamados "pontos"; quando desacreditam reivindicações tácitas, "erros".

Alguns signos que trazem informação social, cuja presença, inicialmente, se deve a outras razões, têm apenas uma função informativa superficial. Há símbolos de estigma que nos dão exemplos desse ponto: as marcas no pulso que revelam que um indivíduo tentou o suicídio; as marcas no braço do viciado em drogas; os punhos algemados dos prisioneiros em trânsito;[7] ou mulheres que aparecem em público com um olho roxo como o sugere um autor que escreve sobre prostituição:

> "Fora daqui (da prisão em que ela está atualmente), me vi em apuros. Sabe como é, a polícia vê uma garota com o olho roxo e imagina que ela está tramando alguma coisa, que está, provavelmente, na 'vida'. O próximo passo é segui-la. Aí, então, talvez, 'cana' de novo."[8]

Outros sinais, como a insígnia da patente militar, são destinados ao único objetivo de transmitir informação social. Deve-se acrescentar que o significado da base de um signo pode, ao longo do tempo, ser reduzido, tornando-se, finalmente, só um vestígio, mesmo quando a função de informação da atividade permaneça constante ou cresça em importância. Além disso, um signo que parece existir por motivos não informativos pode, algumas vezes, ser fabricado premeditadamente apenas devido à sua função informativa, como ocorria quando as cicatrizes de um duelo eram cuidadosamente planejadas e infligidas.

Os signos que transmitem a informação social variam em função de serem, ou não, congênitos e, se não o são, em função de, uma vez empregados, tornarem-se, ou não, uma parte permanente. (A cor da pele é congênita; a marca de uma queimadura ou mutilação é permanente mas não congênita; a cabeça raspada de um presidiário não é

---

[7] A. Heckstall-Smith, *Eighteen Months* (Londres: Allan Wingate, 1954), p. 43.

[8] T. Rubin, *In the Life* (Nova York: The Macmillan Company, 1961), p. 69.

nem uma coisa nem outra.) Mais importante ainda, deve-se assinalar que os signos não permanentes, usados apenas para transmitir informação social, podem ou não ser empregados contra a vontade do informante; quando o são, tendem a ser símbolos de estigma.[9] Mais tarde será necessário considerar os símbolos de estima voluntariamente empregados.

É possível que haja signos cujo significado varie de um grupo para outro, ou seja, que a mesma categoria seja diferentemente caracterizada. Por exemplo, as ombreiras que os funcionários da prisão exigem que os presidiários que desconfiam que tendem a fugir usem[10] podem ter um significado, em geral negativo, para os guardas e, ao mesmo tempo, serem para o portador um sinal de orgulho frente a seus companheiros de prisão. O uniforme pode ser motivo de brio para um oficial, para ser usado em toda ocasião possível; para outros, entretanto, os fins de semana podem representar o momento de pôr em prá-

---

[9] Na obra *American Notes*, escrita com base na sua viagem de 1842, Dickens registra em seu capítulo sobre escravidão alguns exemplos de jornais locais que informavam sobre escravos perdidos e encontrados. As identificações contidas nesses anúncios fornecem uma gama completa de signos de identificação. Em primeiro lugar, há características relativamente estáveis do corpo que, no contexto, podem, consequentemente, fornecer uma identificação positiva parcial ou completa: idade, sexo e cicatrizes (resultantes de ferimentos a bala ou a faca, de acidentes e de açoite).Também se dá o nome reconhecido pelo escravo, embora geralmente, é claro, só o primeiro nome. Por fim, são frequentemente citados símbolos de estigma, notadamente as iniciais gravadas a fogo e a falta de orelhas. Esses símbolos comunicam a identidade social do escravo mas, ao contrário dos grilhões de ferro em torno do pescoço ou da perna, comunicam, também, algo mais que isso, ou seja, a posse por um senhor em especial. As autoridades têm, então, duas preocupações em relação a um negro apreendido: saber se ele era ou não um escravo fugido e, se o fosse, saber a quem pertencia.

[10] Ver G. Dendrickson e F. Thomas, *The Truth About Dartmoor* (Londres: Victor Gollancz, 1954), p. 55, e F. Norman, *Bang to Rights* (Londres: Secker & Warburg, 1958), p. 125. O uso desse tipo de símbolo está bem colocado em E. Kogon, *The Theory and Practice of Hell* (Nova York: Berkley Publishing Corp., s/d), pp. 41-2, onde ele especifica as marcas usadas nos campos de concentração para identificar diferencialmente prisioneiros políticos, transgressores secundários, criminosos, Testemunhas de Jeová, "elementos inúteis", ciganos, judeus, "profanadores de raça", estrangeiros (segundo a nação), débeis mentais, e assim por diante. Os escravos no mercado romano de escravos também eram frequentemente marcados segundo a sua nacionalidade; ver M. Gordon, "The Nationality of Slaves Under the Early Roman Empire", em M. I. Finley, ed., *Slavery in Classical Antiquity* (Cambridge: Heffer, 1960), p. 171.

tica as suas preferências e usar trajes à paisana, passando por civis. De maneira semelhante, embora a obrigação de usar a boina da escola quando estão na cidade possa ser considerada por alguns rapazes como um privilégio, assim como o seria para alguns soldados a obrigação de usar o uniforme quando em licença, outros sentem que a informação social transmitida dessa forma é um meio de garantir a disciplina e o controle sobre eles quando estão fora do serviço ou fora da escola.[11] Assim, também, durante o século XIX na Califórnia, a ausência da trança num homem chinês significava, para os ocidentais, um certo grau de aculturação enquanto os outros chineses levantavam uma dúvida no que se refere à sua respeitabilidade — em termos específicos, se o indivíduo em questão tinha ou não passado algum tempo na prisão, onde o corte da trança era obrigatório, motivo por que, durante um certo tempo, houve alguma resistência ao seu corte.[12]

Os signos portadores de informação social variam, é claro, no que se refere à sua confiabilidade. Vasos capilares dilatados no rosto e no nariz, algumas vezes chamados de "estigmas venosos" com maior propriedade do que se acredita, podem ser, e o são, tomados como indicadores de excessos alcoólicos. Entretanto, os abstêmios também podem exibir o mesmo símbolo por outras razões fisiológicas dando, assim, lugar a suspeitas injustificadas sobre si mesmos mas que, apesar disso, eles devem enfrentar.

Deve ser levantado um último ponto no que se refere à informação social, ponto esse que se refere ao caráter informativo que tem o relacionamento "com" alguém em nossa sociedade. Estar "com" alguém é chegar em alguma ocasião social em sua companhia, caminhar com ele na rua, fazer parte de sua mesa em um restaurante, e assim por diante. A questão é que, em certas circunstâncias, a identidade social daqueles com quem o indivíduo está acompanhado pode ser usada como fonte de informação sobre a sua própria identidade social, supondo-se que ele

[11] T. H. Pear, *Personality, Appearance and Speech* (Londres: George Allen and Unwin, 1957), p. 58.

[12] A. MacLeod. *Pigtails and Gold Dust* (Caldwell, Idaho: Caxton Printers, 1947), p. 28. Às vezes o uso da trança também tinha um significado histórico-religioso; ver *ibid.*, p. 204.

é o que os outros são. O caso extremo, talvez, seja a situação em círculos de criminosos: uma pessoa com ordem de prisão pode contaminar legalmente qualquer um que seja visto em sua companhia, expondo-o à prisão como suspeito. (Diz-se, então, de uma pessoa que está com ordem de prisão que "ela está com varíola" e que sua doença criminosa "pega".)[13] De qualquer forma, uma análise da manipulação que as pessoas fazem sobre as informações transmitidas sobre si próprias terá de considerar a maneira através da qual elas enfrentam as contingências de serem vistas na companhia de outros em particular.

Visibilidade

Tradicionalmente, a questão do encobrimento levantou o problema da "visibilidade" de um estigma particular, ou seja, até que ponto o estigma está adaptado para fornecer meios de comunicar que um indivíduo o possui. Por exemplo, ex-pacientes mentais e pais solteiros que esperam um filho compartilham um defeito que não é imediatamente visível; os cegos, entretanto, são facilmente notados. A visibilidade é, obviamente, um fator crucial. O que pode ser dito sobre a identidade social de um indivíduo em sua rotina diária e por todas as pessoas que ele encontra nela será de grande importância para ele. As consequências de uma apresentação compulsória em público serão pequenas em contatos particulares, mas em cada contato haverá algumas consequências que, tomadas em conjunto, podem ser imensas. Além disso, a informação quotidiana disponível sobre ele é a base da qual ele deve partir ao decidir qual o plano de ação a empreender quanto ao estigma que possui. Assim, qualquer mudança na maneira em que deve se apresentar sempre e em toda a parte terá, por esses mesmos motivos, resultados fatais — foi isto, possivelmente, que originou, entre os gregos, a ideia de estigma.

Já que é através de nossa visão que o estigma dos outros se torna evidente com maior frequência, talvez o termo visibilidade não crie muita distorção. Na verdade, o termo

---

[13] Ver D. Maurer, *The Big Con* (Nova York: Pocket Books, 1949), p. 298.

mais geral "perceptibilidade" seria mais preciso, e "evidenciabilidade" mais preciso ainda. Além disso, a gagueira é um defeito muito "visível", mas, em princípio, porque é ouvido e não visto. Antes que o conceito de visibilidade possa ser usado com segurança mesmo nessa versão correta, entretanto, ele deve ser diferençado de três outras noções que são, com frequência, confundidas com ele.

Em primeiro lugar, a visibilidade de um estigma deve ser diferençada de sua "possibilidade de ser conhecido". Quando um estigma de um indivíduo é muito visível, o simples fato de que ele entre em contato com outros levará o seu estigma a ser conhecido. Mas se outras pessoas conhecem ou não o estigma de um indivíduo depende de um outro fator além de sua visibilidade corrente, ou seja, de que elas conheçam, ou não, previamente o indivíduo estigmatizado — e esse conhecimento pode estar baseado em mexericos sobre ele ou num contato anterior com ele durante o qual o estigma mostrou-se visível.

Em segundo lugar, a visibilidade deve ser diferençada de outra de suas bases específicas, a saber, a intrusibilidade. Quando um estigma é imediatamente perceptível, permanece a questão de se saber até que ponto ele interfere com o fluxo da interação. Por exemplo, numa reunião de negócios ninguém que esteja sentado numa cadeira de rodas passará despercebido. Ao redor da mesa de conferência, entretanto, seu defeito pode ser relativamente ignorado. Por outro lado, um participante que tenha dificuldades de fala, o que, de um certo modo, é uma situação muito menos desvantajosa do que a de uma pessoa presa a uma cadeira de rodas, dificilmente poderá abrir a boca sem destruir a indiferença que seu defeito poderia suscitar e, toda a vez que o fizer, causará um certo mal-estar nos demais. A simples mecânica de encontros verbais redirige constantemente a atenção para o defeito, exigindo, a todo o momento, mensagens claras e rápidas, o que não pode ser cumprido. Pode-se acrescentar que o mesmo defeito pode ter diferentes expressões, cada uma delas com um grau diferente de intrusibilidade. Por exemplo, uma pessoa cega com uma bengala branca dá uma prova bastante visível de que é cega; mas esse símbolo de estigma, uma vez notado, pode algumas vezes ser ignorado, junto com o que significa. Mas o fato de que a pessoa cega não consiga voltar o rosto para os olhos dos coparticipantes é um acontecimento que repetidamente viola a etiqueta da comunicação e repetidamente desorganiza os mecanismos de realimentação da interação falada.

Em terceiro lugar, a visibilidade de um estigma (assim como a sua intrusibilidade) deve ser dissociada de certas contingências do que pode ser chamado de seu "foco de percepção". Nós, normais, desenvolvemos concepções, fundamentadas objetivamente ou não, referente à esfera de atividade vital, que desqualificam primeiro o portador de um determinado estigma. A feiura, por exemplo, tem seu efeito primário e inicial durante situações sociais, ameaçando o prazer que, de outra forma, poderíamos ter em companhia da pessoa que possui esse atributo. Percebemos, entretanto, que sua condição não deve ter efeitos sobre a sua competência para realizar tarefas solitárias, embora, é claro, só possamos discriminá-la devido ao que sentimos quando olhamos para ela. A feiura, então, é um estigma que é focalizado em situações sociais. Outros estigmas, como o fato de ser diabético,[14] parecem não ter nenhum efeito inicial sobre as qualificações para a interação face a face; esses estigmas nos levam, em primeiro lugar, à discriminação em questões como a designação para empregos, e afetam a interação social imediata somente, por exemplo, porque o indivíduo estigmatizado pode ter tentado manter o seu atributo diferencial em segredo e sente-se inseguro sobre a sua capacidade de fazê-lo, ou porque as outras pessoas presentes conhecem a sua condição e tentam penosamente não fazer alusão a ela. Muitos outros estigmas encontram-se, no que se refere ao foco, entre esses dois extremos, e são percebidos como tendo um amplo efeito inicial em muitas áreas diferentes de vida. Por exemplo, uma pessoa que sofre de paralisia cerebral pode não só ser vista como incômoda numa situação face a face mas também induzir a sensação de que ela não é eficiente ao desempenhar tarefas solitárias.

A questão da visibilidade, então, deve ser diferençada de alguns outros pontos: a "possibilidade de conhecimento" de um atributo, sua "intrusibilidade" e seu "foco de per-

[14] "A Reluctant Pensioner", "Unemployed Diabetic", em Toynbee, *op. cit.*, Cap. 9, pp. 132-146.

cepção". Isso ainda deixa de lado a afirmativa tácita de que, de alguma forma, o público em geral está comprometido com aquilo que ele observa. Mas, como veremos, também os especialistas em revelar a identidade podem estar envolvidos, e o seu treinamento pode lhes permitir a descoberta imediata de algo invisível para os leigos. Um médico que encontra na rua um homem que apresenta manchas de um vermelho apagado na córnea e dentes angulosos e irregulares está encontrando alguém que exibe claramente dois signos de mal de Hutchinson e que provavelmente sofre de sífilis. Entretanto, outros observadores, não verão nada de mal no indivíduo. Em geral, então, antes que se possa falar de graus de visibilidade, deve-se especificar a capacidade decodificadora da audiência.

A Identidade Pessoal

Para que se possa considerar de maneira sistemática a situação da pessoa desacreditável e o seu problema de ocultamento e revelação, foi necessário, em primeiro lugar, examinar o caráter da informação social e da visibilidade. Antes de continuar, será preciso considerar seriamente um outro fator, a identificação, no sentido criminológico e não psicológico.

Até aqui, a análise da interação social entre os estigmatizados e os normais não exigiu que os indivíduos envolvidos no contato misto se conhecessem "pessoalmente" antes de a interação se iniciar. Isso parece razoável. A manipulação do estigma é uma ramificação de algo básico na sociedade, ou seja, a estereotipia ou o "perfil" de nossas expectativas normativas em relação à conduta e ao caráter; a estereotipia está classicamente reservada para fregueses, orientais e motoristas, ou seja, pessoas que caem em categorias muito amplas e que podem ser estranhas para nós. Há uma ideia popular de que embora contatos impessoais entre estranhos estejam particularmente sujeitos a respostas estereotípicas, na medida em que as pessoas relacionam-se mais intimamente essa aproximação categórica cede, pouco a pouco, à simpatia, à compreensão e à avaliação realística de qualidades pessoais.[15] Embora um

[15] Uma apresentação tradicional deste tema pode ser encontrada em N. S. Shaler, *The Neighbor* (Boston: Houghton Mifflin, 1904).

defeito como a desfiguração facial possa repelir um estranho, as pessoas íntimas presumivelmente não seriam afastadas por tal motivo. A área de manipulação do estigma, então, pode ser considerada como algo que pertence fundamentalmente à vida pública, ao contato entre estranhos ou simples conhecidos, colocando-se no extremo de um *continuum* cujo polo oposto é a intimidade.

A ideia de tal *continuum*, sem dúvida, tem alguma validade. Por exemplo, demonstrou-se que, além das técnicas que utilizam para lidar com estranhos, as pessoas que possuem desvantagens físicas podem desenvolver métodos especiais para eliminar a distância e o tratamento cauteloso que provavelmente receberão; elas podem tentar chegar a um plano mais "pessoal" onde, de fato, o seu defeito deixará de ser um fator crucial — um processo árduo que Fred Davis chama de "abrir caminho".[16] Além disso, aqueles que têm um estigma corporal contam que, dentro de certos limites, as pessoas normais com as quais têm uma relação frequente aos pouco chegarão a ser menos evasivas em relação à sua incapacidade, de tal maneira que algo semelhante a uma rotina diária de normalização pode-se desenvolver. Pode-se citar como exemplo a vida quotidiana de uma pessoa cega:

> "Há atualmente barbearias onde sou recebido com a mesma tranquilidade de antigamente, é claro, e hotéis, restaurantes e edifícios públicos onde posso entrar sem provocar a sensação de que algo está para acontecer; alguns motorneiros, e motoristas de ônibus, agora, simplesmente me dão bom dia quando subo com o meu cachorro e alguns garçons que conheço me servem com tradicional indiferença. Naturalmente, o círculo imediato de minha família há muito tempo deixou de se preocupar comigo sem necessidade e o mesmo ocorreu com meus amigos íntimos. Neste ponto, abri uma brecha na educação do mundo."[17]

É provável que categorias inteiras de estigmatizados achem uma proteção semelhante: as lojas algumas vezes localizadas próximo de hospitais psiquiátricos podem-se transformar em lugares onde as condutas psicóticas são muito toleradas. As vizinhanças de alguns hospitais desenvolvem uma capacidade para tratar com calma pessoas desfiguradas na face que estão se submetendo a enxertos

---

[16] Davis, *op. cit.*, pp. 127-128.
[17] Chevigny, *op. cit.*, pp. 75-76.

cutâneos; a cidade que tem uma escola de treinamento de cegos aprende a olhar com aprovação os estudantes que seguram um arreio atado a um instrutor humano enquanto dirigem a este palavras de estímulo semelhantes às que se costuma empregar para um cão.[18]

A respeito dessas provas de crenças diárias sobre o estigma e a familiaridade, deve-se continuar a ver que a familiaridade não reduz necessariamente o menosprezo.[19] Por exemplo, as pessoas normais que vivem próximo de colônias constituídas de grupos tribalmente estigmatizados conseguem, com bastante habilidade, manter os seus preconceitos. É mais importante aqui, entretanto, ver que as várias consequências de uma ordenação completa de suposições virtuais sobre um indivíduo podem estar nitidamente presentes em nosso trato com pessoas com as quais mantivemos uma relação duradoura, íntima e exclusiva. Em nossa sociedade, falar de uma mulher como esposa de alguém é colocar essa pessoa numa categoria que não pode ter mais que um membro; entretanto, há toda uma categoria implícita da qual ela é somente um membro. É provável que características singulares, historicamente imbricadas, tinjam as margens de nossa relação com essa pessoa; ainda assim, há no âmago um ordenamento completo de previsões socialmente padronizadas que temos quanto à sua conduta e natureza como um modelo da categoria "esposa", por exemplo, de que ela cuidará da casa, receberá nossos amigos e terá filhos. Ela será uma boa ou má esposa, sendo isto colocado relativamente a expectativas padronizadas que outros maridos de nosso grupo têm, também em relação a suas esposas. (Sem dúvida é escandaloso falar de casamento como uma relação particularizada.) Assim quer estejamos em interação com pessoas íntimas ou com estranhos, acabaremos por descobrir que as marcas da sociedade ficam claramente impressas nesses contatos, colocando-nos, mesmo nesse caso, em nosso lugar.

Haverá, sem dúvida, casos em que os que não são solicitados a compartilhar o estigma de um indivíduo ou a passar grande parte do tempo usando de tato e cuidado

---

[18] Keitlen, *op. cit.*, p. 85.

[19] Para uma prova de que as crianças normais numa colônia de férias não aceitam mais facilmente, no decorrer do tempo, os seus companheiros fisicamente incapaciatados, ver Richardson, *op, cit.*, p. 7.

em relação a ele podem achar mais fácil aceitá-lo, precisamente por isso, do que aqueles que são obrigados a ter com ele um contato de tempo integral.

Quando passamos de uma consideração sobre pessoas desacreditadas para uma outra sobre pessoas desacreditáveis, encontramos muitas provas adicionais de que não só as pessoas íntimas daquele indivíduo como os estranhos serão afastados por seu estigma. Em primeiro lugar, as pessoas íntimas podem-se tornar aquelas em relação às quais ele mais se preocupa em esconder algo vergonhoso; a situação dos homossexuais nos fornece um exemplo:

"Embora seja comum que um homossexual declare que seu desvio não é uma doença, é interessante o fato de que, quando resolve consultar alguém, a pessoa escolhida quase sempre seja um médico. Mas é pouco provável que este seja o médico de sua família. A maioria das pessoas com quem conversamos desejavam ardentemente esconder o homossexualismo de sua família. Mesmo alguns daqueles que procediam em público de maneira bastante aberta, eram bastante cuidadosos no sentido de evitar que se levantassem suspeitas no círculo familiar."[20]

Além disso, quando, numa família, um dos pais pode compartilhar um segredo profundo sobre, e com, o outro, podem-se considerar as crianças da casa não só como perigosos receptáculos da informação mas, também, como tendo uma natureza tão frágil que tal conhecimento poderia afetá-lo seriamente. O caso de pais hospitalizados por doenças mentais é um exemplo disto:

"Quando têm que contar a doença do pai para as crianças, quase todas as mães escolhem o caminho do encobrimento. Diz-se à criança ou que seu pai está no hospital (sem maiores explicações) ou que ele está no hospital por ter uma doença física (dor de dentes, um problema nas pernas, dor de barriga ou dor de cabeça)."[21]

(A mulher de um doente mental) "vivo presa de terror — verdadeiro terror — de que alguém possa contar tudo a Jim (o filho)..."[22]

---

[20] G. Westwood, *A Minority* (Londres: Longmans, Green & Company, 1960), p. 40.

[21] M. R. Yarrow, J. A. Clausen e P. R. Robbins, "The Social Meaning of Mental Illness", *Journal of Social Issues*, XI (1955), 40-41. Esse trabalho fornece um material muito útil sobre a manipulação do estigma.

[22] *Ibid.*, p. 34.

Pode-se acrescentar que há certos estigmas tão fáceis de esconder que raramente figuram na relação do indivíduo com estranhos ou simples conhecidos, tendo efeito principalmente com pessoas íntimas — frigidez, impotência e esterilidade são alguns exemplos desse tipo. Assim, ao tentar explicar por que o alcoolismo não parece desqualificar um homem para o casamento, um estudioso sugere que:

"É possível também que as circunstâncias do namoro ou os padrões sobre a bebida diminuam tanto a visibilidade do alcoolismo que ele não seja um fator importante na escolha do parceiro. A interação mais íntima do casamento pode, então, trazer à tona o problema de uma forma reconhecível para a esposa."[23]

Por outro lado, as pessoas íntimas podem vir a desempenhar um papel especial na manipulação de situações sociais por parte do desacreditável, de tal maneira que quando a sua aceitação dela não for influenciada por seu estigma, as suas obrigações o serão.

Ao invés, então, de pensar num *continuum* de relações, com o tratamento categórico e encobridor num extremo da escala e o tratamento particularístico e aberto no outro, talvez seja melhor pensar em várias estruturas nas quais os contatos se produzem e se estabilizam — rua com pessoas estranhas, as relações de serviços superficiais, o lugar de trabalho, a vizinhança, o cenário doméstico — e ver que, em cada caso, é provável que ocorram discrepâncias características entre a identidade social virtual e a identidade social real, e que se realizem esforços, também característicos, para manipular a situação.

Entretanto, todo o problema da manipulação do estigma é influenciado pelo fato de conhecermos, ou não, pessoalmente o indivíduo estigmatizado. Tentar descrever exatamente o que significa essa influência exige, entretanto, a formulação clara de um conceito adicional, o de *identidade pessoal*.[24]

---

[23] E. Lemert, "The Ocurrence and Sequence of Events in the Adjustment of Families to Alcoholism", *Quarterly Journal of Studies on Alcohol*, XXI (1960), 683.

[24] Uma distinção entre as identidades pessoal e de papel está claramente apresentada em R. Sommer, H. Osmond e L. Pancyr, "Problems of Recognition and Identity", *International Journal of Parapsychology*, II (1960), 99-119, onde se coloca o problema de como se demonstra ou refuta uma

Acredita-se que, em círculos sociais pequenos e existentes há certo tempo, cada membro venha a ser conhecido pelos outros como uma pessoa "única". O termo "único" é sujeito a pressões de cientistas sociais amadores que gostariam de lhe dar um conteúdo mais caloroso e criativo, algo que não o fizesse correr o risco de ter derrubado, pelo menos por sociólogos; não obstante, o termo envolve algumas ideias relevantes.

Uma ideia implícita na noção de "unicidade" de um indivíduo é a de "marca positiva" ou "apoio de identidade", por exemplo, a imagem fotográfica do indivíduo na mente dos outros ou o conhecimento de seu lugar específico em determinada rede de parentesco. Um caso comparativo interessante é o dos Tuareg da África Ocidental, onde os homens cobrem o rosto deixando apenas um pequeno pedaço de fora por meio do qual podem enxergar; aqui, aparentemente, o rosto como um apoio para a identificação pessoal é substituído pela aparência do corpo e pelo estilo físico.[25] Somente uma pessoa de cada vez pode encaixar-se na imagem que discuto aqui, e aquela que preencheu os requisitos no passado é a mesma que os preenche no presente e os preencherá no futuro. Observe-se que itens, como impressão digital, que são os meios mais eficazes de tornar os indivíduos diferentes mediante a identificação são também itens em função dos quais estes mesmos indivíduos são essencialmente similares.

Uma segunda ideia é de que, embora muitos fatos particulares sobre um indivíduo sejam também verdadeiros para outros, o conjunto completo de fatos conhecidos sobre uma pessoa íntima não se encontra combinado em nenhuma outra pessoa no mundo, sendo este um recurso adicional para diferençá-la positivamente de qualquer

---

ou outra. Ver também Goffman, *The Presentation of Self in Everyday Life, op. cit.*, p. 60. A ideia de identidade pessoal também é usada em C. Rolph, *Personal Identity* (Londres: Michael Joseph, 1957), e por E. Schachtel, "On Alienated Concepts of Identity", *American Journal of Psychoanalysis,* XXI (1961), 120-121, sob o rótulo de "identidade de papel". O conceito de identidade legal ou jural corresponde intimamente ao de identidade pessoal, exceto pelo fato de que (como me informou Harvey Sacks) há algumas situações, como em adoções, em que a identidade legal de um indivíduo pode ser mudada.

[25] Agradeço aqui a Robert Murphy por seu trabalho ainda não publicado "On Social Distance and the Veil".

outra pessoa. Algumas vezes esse complexo de informações está vinculado ao nome da pessoa, como ocorre no dossiê policial; outras vezes está vinculado ao corpo, como quando chegamos a conhecer os padrões de conduta de uma pessoa que conhecemos de vista mas cujo nome ignoramos; frequentemente essa informação está vinculada tanto ao nome quanto ao corpo.

Uma terceira ideia implícita na noção de "unicidade" é a que diferencia um indivíduo de todos os outros na essência de seu ser, um aspecto geral e central dele, que o torna bem diferente, não só no que se refere à sua identificação, daqueles que são muito parecidos com ele.

Ao usar o termo "*identidade pessoal*" pretendo referirme somente às duas primeiras ideias — marcas positivas ou apoio de identidade e a combinação única de itens da história de vida que são incorporados ao indivíduo com o auxílio desses apoios para a sua identidade. A identidade pessoal, então, está relacionada com a pressuposição de que ele pode ser diferençado de todos os outros e que, em torno desses meios de diferenciação, podem-se apegar e entrelaçar, como açúcar cristalizado, criando uma história contínua e única de fatos sociais que se torna, então, a substância pegajosa à qual vêm-se agregar outros fatos biográficos. O que é difícil de perceber é que a identidade pessoal pode desempenhar, e desempenha, um papel estruturado, rotineiro e padronizado na organização social justamente devido à sua unicidade.

O processo de identificação pessoal pode ser observado claramente em ação se se toma como ponto de referência não um pequeno grupo, mas uma grande organização impessoal, como o governo de um Estado. É atualmente uma prática organizacional padronizada que se registrem de maneira oficial todos os elementos que servem para identificação positiva do indivíduo, ou seja, utiliza-se um conjunto de marcas para diferençar a pessoa assim marcada de todos os outros indivíduos. Como se sugeriu, a escolha da marca é, em si mesma, bastante padronizada: atributos biológicos imutáveis, como a caligrafia ou a aparência fotograficamente comprovada; itens que são registrados de maneira permanente, como certidão de nascimento, nome e número da carteira de identidade. Recentemente, através da utilização da análise de computadores, foi feito um grande progresso experimental no uso das qualificações da caligrafia ou da fala como apoios de identidade, explorando assim uma característica expressiva menor de comportamento, semelhante à dos especialistas em "autenticação" de quadros. Mais importante ainda, o Social Security Act* de 1935 nos Estados Unidos garante praticamente a todos os empregados um único número de registro ao qual pode ser anexada toda a história de vida empregatícia do indivíduo, um esquema de identificação que colocou em apuros consideráveis as nossas classes criminosas. De qualquer forma, uma vez que um apoio de identidade tenha sido preparado, materializado, e se torne disponível, podemos nos agarrar a ele; pode-se desenvolver um dossiê que normalmente fique contido e arquivado numa pasta de papéis manilha. Pode-se esperar que cresça a identificação pessoal dos cidadãos pelo Estado à medida que se refinam os dispositivos que tornam a história de um indivíduo particular mais acessível a pessoas autorizadas e ainda mais inclusiva de fatos sociais referentes a ele, como, por exemplo, recibos de pagamento de dividendos.

Há um interesse popular considerável nos esforços de pessoas perseguidas em adquirir uma identidade pessoal que não seja a "sua" ou em se desvincular de sua identidade original, como nos esforços em marcar com cicatrizes as pontas dos dedos ou em destruir certidões de nascimento. Em casos reais, procura-se mudar o nome próprio porque, de todos os apoios de identidade, este parece ser geralmente o mais empregado e, de certo modo, o mais fácil de ser alterado. A maneira respeitável e legalmente apropriada de se trocar de nome é através de um ato documentado cujo registro fica disponível num arquivo público. Uma continuidade singular fica assim preservada, a despeito da aparente diversidade.[26] É o que ocorre quando, por exemplo, uma mulher troca seu último nome devido ao casamento. No mundo das diversões, é comum que um artista troque seu nome mas aqui, novamente, é possível o acesso ao registro de seu nome verdadeiro que, inclusive pode ser amplamente conhecido, como ocorre com autores que utilizam pseudônimo. Ocupações onde

---

* Lei de Segurança Social. (N.T.)

[26] Ver Rolph, *Personal Identity*, *op. cit.*, pp. 14-16.

pode ocorrer uma mudança de nome que não esteja oficialmente registrada, como as de prostituta, criminoso e revolucionário não são ocupações "legítimas". Um caso residual é o das ordens religiosas católicas. Sempre que uma ocupação traga em seu bojo uma mudança no nome, registrada ou não, pode-se ficar certo de que nela está implícita uma importante ruptura entre o indivíduo e seu velho mundo.

Deve-se assinalar que algumas mudanças de nome, como a de desertores do serviço militar e hóspedes de motéis, estão orientadas especificamente para os aspectos legais de identificação pessoal, enquanto outras, como as que ocorrem por motivos étnicos, estão orientadas para a questão da identidade social. Um autor que estudou a questão assinala que certos tipos de artistas profissionais têm como característica encontrarem-se em ambas as situações:

> "A corista típica muda de nome quase tão frequentemente quanto de penteado para estar em dia com a popularidade teatral corrente, com as superstições do mundo dos espetáculos ou, em alguns casos, para evitar o pagamento de impostos."[27]

Posso acrescentar que os criminosos profissionais utilizam dois tipos especiais de nomes falsos: apelidos, usados temporariamente, embora repetidos com frequência, para evitar a identificação pessoal; alcunhas, recebidas na comunidade criminal e conservadas por toda a vida, mas usadas apenas pelos e para os membros da comunidade ou pelos "informados".

Um nome, então, é um modo muito comum mas não muito confiável de fixar a identidade. Quando num tribunal de justiça se encontra uma pessoa que, por muitos motivos, esconde sua identidade, é compreensível que se procurem outras marcas positivas. Pode-se citar o caso inglês:

> "... a identidade pessoal é provada em tribunais de justiça não pela referência a nomes nem sequer por testemunhos diretos, mas "presumivelmente" por provas de semelhanças e diferenças nas características pessoais."[28]

---

[27] A. Hartman, "Criminal Aliases: A Psychological Study", *Journal of Psychology*, XXXII (1951), 53.
[28] Rolph, *Personal Identity, op. cit.*, p. 18.

A questão da informação social deve ser levantada agora novamente. Os sinais corporificados já considerados, quer de prestígio ou de estigma, pertencem à identidade social. É claro que todos eles devem ser diferençados da *documentação* que os indivíduos trazem consigo com o objetivo de estabelecer a sua identidade pessoal. Esses documentos vieram a ser largamente empregados na Inglaterra e nos Estados Unidos tanto por nativos quanto por estrangeiros. Carteiras de identidade e carteiras de motorista (que contêm impressões digitais, assinaturas e, algumas vezes, fotografias) são consideradas necessárias.[29] Junto com essas identificações pessoais, a pessoa pode trazer documentação de idade (no caso de jovens que desejam frequentar casas de jogo ou estabelecimentos que servem bebidas alcoólicas), uma permissão pra empregar-se em atividades protegidas ou perigosas, permissão para estar fora do quartel, e assim por diante. Frequentemente essa informação é completada por retratos familiares, provas de quitação com o serviço militar, e mesmo cópias fotostáticas de certificados escolares. Recentemente, surgiram os documentos que informam sobre o estado de saúde do portador, e o seu uso geral é defendido:

> "Os cartões de identidade médica estão sendo estudados pelo Ministério da Saúde. A recomendação seria de que as pessoas os trouxessem sempre consigo.
>
> O cartão conteria detalhes como vacinas tomadas, grupo sanguíneo e informações sobre qualquer doença, como a hemofilia, queda deveria ser imediatamente conhecida em caso de acidente.
>
> Um dos objetivos do cartão é facilitar o tratamento rápido em caso de emergência e evitar o perigo de injetar vacinas em determinadas pessoas, às quais elas poderiam ser alérgicas."[30]

Deve-se acrescentar que parece haver um número cada vez maior de estabelecimentos que exigem que os seus empregados usem ou tenham à mão um cartão de identificação pessoal com fotografia.

---

[29] Atualmente, na Inglaterra, os cidadãos não são obrigados a trazer consigo documentos de identificação, embora estrangeiros e motoristas o sejam; em certas circunstâncias, também, os cidadãos britânicos podem-se negar a revelar a sua identidade aos policiais. Ver *ibid.*, pp. 12-13.

[30] Relatado em *The San Francisco Chronicle*, 14 de abril de 1963, e atribuído ao *The London Times*.

O ponto comum desses vários recursos de identificação e, obviamente, que eles não permitem equívocos inocentes ou qualquer ambiguidade, transformando o que seria simplesmente um uso duvidoso de símbolos de informação social em falsificação evidente ou posse ilegal; portanto, o termo documento de identidade deveria ser mais preciso do que símbolo de identidade. (Compare-se, por exemplo, a base relativamente fraca de identificação da identidade dos judeus através da aparência, gestos ou voz.)[31] Incidentalmente, essa documentação e os fatos sociais ligados a ela são quase sempre apresentados apenas em situações especiais a pessoas particularmente autorizadas a controlar a identidade, ao contrário do que ocorre com símbolos de prestígio e de estigma, que estão mais amiúde ao alcance do público em geral.

Como a informação sobre a identidade pessoal é em geral de um tipo que pode ser estritamente documentado, ela pode ser usada como proteção contra falsificações potenciais da identidade social. Assim, pode-se exigir que o pessoal do exército traga consigo documentos de identidade que validem o seu uniforme e a sua insígnia, potencialmente falsos. A identificação pessoal do estudante pode garantir ao bibliotecário que ele tem o direito de apanhar livros emprestados na biblioteca ou de entrar nas salas de leitura, e a carteira de motorista pode comprovar que o indivíduo tem idade legal para beber em estabelecimentos comerciais. Assim, também, os cartões de crédito atestam superficialmente a identidade pessoal, útil na decisão de se dar ou não crédito ao indivíduo, mas, além disso, atestam que ele pertence a uma categoria social que garante tal crédito. Um homem prova que é o Dr. Hiram Smith para confirmar que é um médico, mas raramente confirma que é um médico para provar que é o doutor Hiram Smith. De maneira semelhante, indivíduos rejeitados em determinados hotéis por razões étnicas podem ter sido etnicamente identificados devido a seus nomes, de tal modo que, também aqui, é explorado um item da biografia pessoal por motivos categóricos.

Em geral, então, a biografia ligada à identidade documentada pode colocar nítidas limitações à maneira que

[31] L. Savitz e R. Tomasson, "The Identifiability of Jews", *American Journal of Sociology*, LXIV (1959), 468-475.

um indivíduo pode escolher para se apresentar; a situação de alguns ex-pacientes mentais ingleses que não são aceitos como aspirantes a tarefas ordinárias na Bolsa de Trabalho porque seus cartões da Segurança Nacional têm espaços sem selo é um exemplo do que acabei de expor.[32] Posso acrescentar que o ato de escolher a identidade pessoal pode encerrar implicações referentes à categoria social: os óculos escuros que as celebridades usam para esconder sua identidade pessoal presumivelmente revelam, ou revelaram durante algum tempo, uma categorização social de alguém que deseja ficar incógnito e que, de outra forma, seria reconhecido.

Uma vez que a diferença entre os símbolos sociais e dos documentos de identidade é percebida, pode-se passar ao exame da posição específica de declarações orais que atestam linguisticamente, e não só expressivamente, a identidade social e pessoal. Quando o indivíduo possui uma documentação insuficiente para receber um serviço desejado, pode-se ver que ele tenta empregar, em substituição, alegações orais. Os grupos e sociedades diferem, é claro, no que se refere a suas crenças sobre a quantidade de informação de identidade considerada conveniente em situações sociais aproximadamente equivalentes. Assim, sugere um escrito indiano:

> "Em nossa sociedade, um homem é sempre aquilo que a sua designação indica, por isso somos muito meticulosos ao fornecê-la. Em Deli vi que, em algumas reuniões, certas pessoas diziam, elas mesmas, seus títulos, quando os encarregados de apresentá-las os omitiam. Um dia na casa de um diplomata estrangeiro em Deli, um rapaz me foi apresentado sem que sua posição oficial fosse mencionada. Imediatamente ele me saudou e acrescentou: "Do Ministério X. E você, a que Departamento pertence?" Quando respondi que não pertencia a nenhum, ele pareceu bastante surpreendido tanto pelo fato de que eu tivesse sido convidado para a reunião quanto porque eu não tinha nenhum título."[33]

Biografia

Quer a linha biográfica de um indivíduo esteja registrada nas mentes de seus amigos íntimos ou nos arquivos

---

[32] E. Mills, *Living with Mental Illness: A Study in East London* (Londres: Routledge and Kegan Paul Ltd., 1962), p. 122.

[33] C. Chaudhuri, *A Passage to England* (Londres: Macmillan & Company, 1959), p. 92.

de pessoal de uma organização, e quer ele porte a documentação sobre sua identidade pessoal ou esta documentação esteja armazenada em arquivos, ele é uma entidade sobre a qual se pode estruturar uma história — há um caderno a sua espera pronto para ser preenchido. Ele é, certamente, um objeto para biografia.[34]

Embora a biografia tenha sido empregada por cientistas sociais, sobretudo sob a forma de uma história de vida profissional, pouca atenção foi dispensada às propriedades gerais do conceito, exceto para observar que as biografias estão muito sujeitas à construção retrospectiva. O papel social como um conceito e um elemento formal da organização social foi amplamente examinado, o que não ocorreu com a biografia.

O primeiro ponto a ser considerado no que se refere a biografias é que assumimos que um indivíduo só pode, realmente, ter uma, o que é garantido muito mais pelas leis da física do que da sociedade. Entende-se que tudo o que alguém fez e pode, realmente, fazer, é passível de ser incluído em sua biografia, como o ilustra o tema relativo a Jekyll e Hyde, mesmo que tenhamos que contratar os serviços de um especialista em biografias ou um detetive particular, para completar os fatos que estão faltando e fazer as relações entre os que já foram descobertos. Por mais patife que seja um homem, por mais falsa, clandestina ou desarticulada que seja a sua existência, por mais que esta seja governada por adaptações, impulsos e reviravoltas, os verdadeiros fatos de sua atividade não podem ser contraditórios ou desarticulados. Note-se que essa unicidade inclusiva da linha de vida está em flagrante contraste com a multiplicidade de "eus" que se descobrem no indivíduo ao encará-lo sob a perspectiva do papel social onde, no caso de a segregação entre papel e audiência estar bem manipulada, ele poderá sustentar com bastante facilidade egos bem diversos e, até certo ponto, pretender que não é mais algo que já foi.

Dada essas pressuposições sobre a natureza da identidade pessoal, surge um fator que será relevante para este relatório: grau de "conexão informacional". Considerando os fatos sociais importantes sobre uma pessoa, o tipo de fatos relatados em seu necrológio, qual o grau de

---

[34] Agradeço muito a Harold Garfinkel, que me mostrou o termo "biografia" no sentido em que é utilizado neste livro.

proximidade ou distância que há entre dois fatos quaisquer, se medido pela frequência com a qual aqueles que conhecem um dos fatos podem também conhecer o outro? Falando de maneira mais geral, dado o número de importantes fatos sociais sobre o indivíduo, em que medida aqueles que conhecem alguns deles conhecem muitos?

A falsa informação social deve ser diferençada da falsa informação pessoal. Um homem de negócios da classe média alta que sai por um fim de semana de seu local de trabalho vestido com roupas de uma classe inferior à sua e que escolhe um local de veraneio barato está se representando falsamente no que se refere à informação social; quando ele se registra num motel com o nome de Mr. Smith, ele está se apresentando falsamente no segundo sentido. E quer esteja envolvida a identidade social ou a identidade pessoal, pode-se diferençar a representação que tem como objetivo provar que uma pessoa é o que não é, da representação que objetiva provar que uma pessoa não é o que é.

Em geral, as normas relativas à identidade social, como já ficou implícito, referem-se aos tipos de repertórios de papéis ou perfis que consideramos que qualquer indivíduo pode sustentar — "personalidade social", como costumava dizer Lloyd Warner.[35] Não esperamos que um jogador de bilhar seja nem uma mulher nem um classicista, mas não ficamos surpresos, nem embaraçados pelo fato de que ele seja um operário italiano ou um negro urbano. Normas relativas à identidade *pessoal*, entretanto, pertencem não a esferas de combinações permissíveis de fatos sociais mas ao tipo de controle de informação que o indivíduo pode exercer com propriedade. Para uma pessoa, ter tido o que se chama de um passado sombrio é uma questão relativa à sua identidade social; a maneira pela qual ele manipula a informação sobre esse passado é uma questão de identificação pessoal. A posse de um passado estranho (não estranho em si, é claro, mas estranho para alguém que pertence à identidade social presente do indivíduo) é um tipo de impropriedade; para o possuidor, viver toda uma vida diante daqueles que igno-

[35] W. L. Warner, "The Society, the Individual and His Mental Disorder", *American Journal of Psychiatry*, XCIV (1937), 278-279.

ram esse passado e não estão informados sobre ele pode ser um tipo muito diferente de impropriedade. A primeira refere-se a nossas regras relativas à identidade social, a segunda às regras relativas à identidade pessoal.

Aparentemente, nos círculos atuais de classe média, quanto mais um indivíduo se desvia, de uma maneira indesejável, do que na verdade se espera dele, mais obrigado fica a dar voluntariamente informações sobre si mesmo mesmo quando o preço que deve pagar por sua sinceridade possa ter crescido proporcionalmente. (Por outro lado, o encobrimento por parte de um indivíduo de algo que ele deveria ter revelado sobre si não nos dá o direito de lhe perguntar o tipo de questão que o forçará a divulgar os fatos ou a dizer, habilmente, uma mentira. Quando fazemos tal pergunta, o resultado é um duplo embaraço, nosso por termos sido sem tato, e dele pelo que ocultou. Ele também pode sentir-se mal por nos ter colocado numa posição em que nos sentimos culpados por havê-lo embaraçado.) Nesse ponto, o direito à discrição parece ter sido ganho somente por não se ter nada a esconder.[36] Parece também que com o objetivo de manipular a sua identidade pessoal será necessário que o indivíduo saiba a quem ele deve muita informação e a quem ele deve pouca — mesmo que em todos esses casos ele deva abster-se de contar uma mentira direta. Isso implica que também será necessário que ele tenha uma "memória", ou seja, nesse caso, uma avaliação precisa e imediata dos fatos de seu passado e de seu presente que ele deve dar aos demais.[37]

Devemos agora considerar a relação entre a identificação pessoal e a identificação social, e proceder à elucidação de alguns de seus entrelaçamentos mais aparentes.

É evidente que para construir uma identificação pessoal de um indivíduo utilizamos aspectos de sua iden-

---

[36] Para um marcante contraste, comparar o código no velho Oeste, onde aparentemente o passado de alguém e seu nome original eram definidos como direito privado de propriedade. Ver, por exemplo, R. Adams, *The Old-Time Cowboy* (Nova York: The Macmillan Company, 1961), p. 60.

[37] Sobre o quadro de referência social da memória em geral, ver F. C. Bartlett, *Remembering* (Cambridge: Cambridge University Press, 1961).

tidade social — junto com tudo o mais que possa estar associado a ele. É claro ainda que o fato de ser capaz de identificar pessoalmente um indivíduo nos dá um recurso de memória para organizar e consolidar a informação referente à sua identidade social — um processo que pode alterar sutilmente o significado das características sociais que lhe imputamos.

Pode-se supor que a posse de um defeito secreto desacreditável adquire um significado mais profundo quando as pessoas para quem o indivíduo ainda não se revelou não são estranhas para ele, mas sim suas amigas. A descoberta prejudica não só a situação social corrente mas ainda as relações sociais estabelecidas; não apenas a imagem corrente que as outras pessoas têm dele mas também a que terão no futuro; não só as aparências, mas ainda a reputação. O estigma e o esforço para escondê-lo ou consertá-lo fixam-se como parte da identidade pessoal. Daí o crescente desejo de um comportamento inadequado quando se usa uma máscara,[38] ou quando se está longe de casa; daí a vontade que algumas pessoas têm de publicar um material revelador de maneira anônima ou de aparecer publicamente diante de uma audiência privada, já que a suposição subjacente é de que o público em geral não estabelecerá uma relação entre eles e o que se tenha feito. Um exemplo instrutivo sobre este último ponto foi relatado recentemente e refere-se à Sociedade Mattachine, uma organização que se dedica a apresentar e melhorar a situação de homossexuais e que, como parte desta tarefa, publica um jornal. Aparentemente, uma sucursal de escritório num edifício comercial pode-se ocupar com esforços orientados para o público enquanto, por outro lado, os empregados se conduzem de tal forma que o resto dos inquilinos ignora o que se faz lá e quem o faz.[39]

---

[38] Não são apenas os bandidos e os membros da Klu Klux Klan que usam máscaras para evitar que sejam reconhecidos. Recentemente, durante as audiências de uma investigação criminal no Estado de Washington, foi permitido que ex-viciados em drogas prestassem declarações com a cabeça coberta por um lençol, não só para evitar uma identificação pública, mas também para evitar retaliações.

[39] J. Stearn, *The Sixth Man* (Nova York: McFadden Books, 1962), pp. 154-155.

Os Outros como Biógrafos

A identidade pessoal, assim como a identidade social, estabelece uma separação, para o indivíduo, no mundo individual das outras pessoas. A divisão ocorre, em primeiro lugar, entre os que conhecem e os que não conhecem. Os que conhecem são aqueles que têm uma identificação pessoal do indivíduo; eles só precisam vê-lo ou ouvir o seu nome para trazer à cena essa informação. Os que não conhecem são aqueles para quem o indivíduo é um perfeito estranho, alguém cuja biografia pessoal não foi iniciada.

O indivíduo que é conhecido por outros pode ter ou não conhecimento desse fato; as pessoas que o conhecem, por sua vez, podem saber ou não que o indivíduo conhece ou ignora tal fato. Por outro lado, entretanto, embora acredite que os outros não o conhecem, ele nunca tem absoluta certeza disto. Além disso, sabendo que o conhecem, ele deve, pelo menos até certo ponto, conhecer algo sobre eles; mas em caso contrário poderá ou não conhecê-lo em relação a outros aspectos.

Deixando de lado *quanto* se sabe ou se ignora, tudo isso é relevante, na medida em que o problema do indivíduo, no que se refere à manipulação de sua identidade pessoal e social, variará muito segundo o conhecimento ou desconhecimento que as pessoas em sua presença têm dele e, em caso positivo, segundo o seu próprio conhecimento do fato.

Quando um indivíduo está entre pessoas para as quais ele é um estranho completo e só é significativo em termos de sua identidade social aparente imediata, uma grande possibilidade com a qual ele deve se defrontar é de que essas pessoas comecem ou não a elaborar uma identificação pessoal para ele (pelo menos a recordação de tê-lo visto em certo contexto conduzindo-se de uma determinada forma) ou de que elas abstenham-se totalmente de organizar e estocar o conhecimento sobre ele em torno de uma identificação pessoal, sendo esse último ponto uma característica da situação completamente anônima. Observe-se que, embora as ruas das grandes cidades forneçam situações anônimas para os que se comportam de maneira correta, essa anonimidade é biográfica; é difícil encontrar algo semelhante ao anonimato completo que se aplique à identidade social. Pode-se acrescentar que todas as vezes que um indivíduo entra numa organização ou numa comunidade, ocorre mudança marcada na estrutura do conhecimento sobre ele — sua distribuição e seu caráter — e, portanto, mudança nas contingências do controle de informação.[40] Por exemplo, todo ex-doente mental deve encarar a situação de ter que cumprimentar, fora do hospital, alguém que conheceu lá dentro, dando margem a que uma terceira pessoa pergunte, "Quem era ele?". Talvez mais importante ainda seja o fato de ter que enfrentar o desconhecimento sobre o que as outras pessoas conhecem dele, isto é, pessoas que podem identificá-lo pessoalmente e que, sem que ele o saiba, saberão que ele "realmente" é um ex-doente mental.

Usando o termo *reconhecimento cognitivo* referir-me-ei ao ato perceptual de "colocar" um indivíduo ou como possuidor de uma identidade social particular ou de uma identidade pessoal particular. O reconhecimento de identidades sociais é uma conhecida função de porteiro que muitos servidores cumprem. É menos conhecido o fato de que o reconhecimento de identidades pessoais é uma função formal em algumas organizações. Em bancos, por exemplo, espera-se que os caixas adquiram esse tipo de capacidade em relação aos clientes. Nos círculos criminais ingleses há, aparentemente, uma ocupação chamada de "homem de esquina", cujo ocupante escolhe um posto na rua próxima à entrada de um negócio ilícito e, na medida em que conhece a identidade pessoal de quase todas as pessoas que passam, pode avisar a aproximação de alguém suspeito.[41]

Dentro do círculo de pessoas que têm uma informação biográfica sobre alguém — que sabem coisas sobre ele — haverá um círculo menor daqueles que mantêm com ele um vínculo "social", quer superficial ou íntimo, e quer como igual ou não. Conforme dissemos, eles não só sabem "de" ou "sobre" ele, como também o conhecem

---

[40] Para um estudo de caso sobre o controle de informação do eu, ver J. Henry, "The Formal Structure of a Psychiatric Hospital", *Psychiatry*, XVII (1954), pp. 139-152, especialmente 149-150.

[41] Uma descrição das funções do "homem de esquina" pode ser encontrada em J. Phelan, *The Underworld* (Londres: George G. Harrap & Company, 1953), Cap. 16, pp. 175-186.

"pessoalmente". Eles terão o direito e a obrigação de trocar um cumprimento, uma saudação e "bater um papo" com ele quando se encontram na mesma situação social, e isso constitui o *reconhecimento social*. É claro que haverá épocas em que um indivíduo estenderá o reconhecimento social a, ou o receberá de, um outro que ele não conhece pessoalmente. De qualquer forma, deve ficar claro que o reconhecimento cognitivo é apenas um ato de percepção, enquanto o reconhecimento social é a parte desempenhada por um indivíduo numa cerimônia de comunicação.

A relação social ou o conhecimento pessoal é, necessariamente, recíproca, embora, é claro, uma ou mesmo ambas as pessoas que estão na relação possam temporariamente esquecer que são conhecidas, assim como uma delas ou mesmo ambas podem estar cônscias dessa relação mas ter esquecido, temporariamente, tudo sobre a identidade pessoal da outra.[42]

Para o indivíduo que leva uma existência típica de aldeia, quer numa pequena ou numa grande cidade, haverá poucas pessoas que só o conhecem de nome; aqueles que sabem coisas sobre ele talvez o conhecerão pessoalmente. De maneira contrastante, com o termo "fama", parece que nos referimos à possibilidade de que o círculo de pessoas que sabe coisas sobre um determinado indivíduo, em especial referentes a uma conquista ou posse desejada e rara, se torne muito amplo e, ao mesmo tempo, muito mais amplo do que o círculo daqueles que o conhecem pessoalmente.

O tratamento que é dispensado a alguém tendo como base a sua identidade social frequentemente é dado com deferência e indulgência adicionais a uma pessoa famosa em virtude da sua identidade pessoal. Como um residente de cidade pequena, ele sempre estará fazendo compras onde é conhecido. O simples fato de ser cognitivamente reconhecido em lugares públicos por estranhos também pode ser uma fonte de satisfação, como o sugere um jovem ator:

---

[42] Mais observações sobre as relações e tipos de reconhecimentos podem ser encontradas em Erving Goffman, *Behaviour in Public Places* (Nova York: Free Press of Glencoe, 1963), Cap. 7, pp. 112-123.

"Quando comecei a adquirir uma certa notoriedade e tinha dias em que me sentia deprimido, dizia a mim mesmo: 'Bem, acho que vou dar uma volta e ser reconhecido'."[43]

Esse tipo de aclamação secundária e indiscriminada é, presumivelmente, um dos motivos pelos quais a fama é procurada e sugere também porque a fama, uma vez obtida, é escondida. A questão não é apenas o aborrecimento de ser perseguido por repórteres, caçadores de autógrafos e fãs, mas também o fato de que são cada vez mais numerosos os atos assimiláveis à biografia como acontecimentos dignos de atenção. Para uma pessoa famosa "fugir" para um lugar onde ela possa "ser ela mesma" pode significar, talvez, encontrar uma comunidade onde não exista uma biografia sua; aqui, a sua conduta, refletida só em sua identidade social, pode, talvez, não interessar a ninguém. Inversamente, um dos aspectos de estar "comprometido" é conduzir-se de maneira destinada a controlar as implicações sobre a biografia, mas em áreas de vida que, em geral, não são criadoras de biografia.

Na vida quotidiana de uma pessoa média, haverá longos espaços de tempo nos quais ela será protagonista de acontecimentos que não têm interesse para ninguém e que serão uma parte técnica, mas não ativa, de sua biografia. Só um acidente pessoal sério ou o fato de testemunhar um assassinato criarão, durante esses períodos mortos, momentos que terão um lugar nas retrospectivas que ela e outras virão a fazer de seu passado. (Um "álibi", na verdade, é uma parte da biografia que é apresentada e que, comumente não viria, em absoluto, a fazer parte da biografia ativa de alguém.) Por outro lado, celebridades que vieram a ter suas biografias extensamente documentadas, em especial os membros da realeza que se sabe que terão essa sorte desde o seu nascimento, descobrirão que, ao longo de sua vida, experimentaram poucos momentos mortos, ou seja, inativos do ponto de vista de sua biografia.

Ao se considerar a fama, pode ser útil e conveniente considerar a má reputação ou infâmia que surgem quando há um círculo de pessoas que têm um mau conceito do indivíduo sem conhecê-lo pessoalmente. A função óbvia

---

[43] Anthony Perkins, em L. Ross "The Player - III", *The New Yorker* (4 de novembro de 1961), p. 88.

da má reputação é a de controle social, do qual devem ser mencionadas duas possibilidades distintas:

A primeira delas é o controle social formal. Há funcionários e círculos de funcionários cuja ocupação é examinar com cuidado vários tipos de público em busca da presença de indivíduos identificáveis cujos antecedentes e reputação o tornaram suspeito, ou mesmo "procurado" pela justiça. Por exemplo, durante um estudo num hospital de doentes mentais, conheci um paciente que estava em "liberdade vigiada" e do qual havia informação de haver molestado muitas meninas. Sempre que ele entrava em qualquer cinema da localidade, o gerente o procurava com a lanterna acesa e o obrigava a retirar-se. Em resumo, ele tinha uma reputação muito ruim para poder ir aos cinemas próximos. Criminosos famosos também têm o mesmo problema mas numa proporção muito maior do que aquela que gerentes de casas de espetáculo poderiam causar.

É aqui que lidamos com mais exemplos de ocupação de fazer identificações pessoais. Chefes de seções de venda em grandes lojas, por exemplo, algumas vezes têm extensas informações sobre a aparência de ladrões de loja profissionais em combinação com o apoio de identidade chamado de *modus operandi*. A produção da identificação pessoal pode, de fato, ter uma oportunidade social própria, como nas investigações policiais. Dickens, ao descrever a mistura social de prisioneiros e visitantes numa cadeia da Inglaterra, nos dá outro exemplo, chamado de "posando para retrato", por meio do qual um novo prisioneiro era obrigado a sentar numa cadeira enquanto os guardas se reuniam e o observavam, gravando a sua imagem em suas mentes com o objetivo de poder identificá-lo depois.[44]

Funcionários cuja tarefa é controlar a possível presença de pessoas de má reputação podem operar no meio do público em geral em vez de atuar em estabelecimentos sociais particulares, como é o caso de detetives de polícia que se espalham por toda a cidade mas não constituem, em si mesmos, público. É-se levado a considerar um segundo tipo de controle social baseado na má reputação mas, que, dessa vez, têm características informais que envolvem o público em geral; e, nesse ponto, tanto a pessoa

[44] *Pickwick Papers*, vol. III, Cap. 2.

que tem boa reputação quanto a que tem má podem ser consideradas em posição muito semelhante.

É possível que o círculo daqueles que conhecem um indivíduo (mas que não são conhecidos por ele) inclua o público em geral e não apenas as pessoas cuja ocupação é fazer identificações. (Na verdade, os termos "fama" e "má reputação" implicam que a massa de cidadãos deve possuir uma imagem do indivíduo.) Não há dúvida de que os meios de comunicação de massa desempenham, aqui, um papel central, tornando possível que uma pessoa "privada" seja transformada em figura "pública".

Parece que a imagem pública de um indivíduo, ou seja, a sua imagem disponível para aqueles que não o conhecem pessoalmente, será, necessariamente, um tanto diversa da imagem que ele projeta através do trato direto com aqueles que o conhecem pessoalmente. Quando o indivíduo tem uma imagem pública, ela parece estar constituída a partir de uma pequena seleção de fatos sobre ele que podem ser verdadeiros e que se expandem até adquirir uma aparência dramática e digna de atenção, sendo, posteriormente, usados como um retrato global. Como consequência, pode ocorrer um tipo especial de estigmatização. A figura que o indivíduo apresenta na vida diária perante aqueles com quem ele tem relações habituais será, provavelmente, reduzida e estragada por demandas virtuais (quer favoráveis ou desfavoráveis), criadas por sua imagem pública. Isso parece ocorrer sobretudo quando não se está mais engajado em acontecimentos que mereçam atenção e deve encarar, em todos os lugares, o fato de ser recebido como alguém que não é mais o que era; parece ainda provável que ocorra isso quando a notoriedade é alcançada devido a um acontecimento acidental, rápido e não característico que expõe a pessoa à identificação pública sem lhe dar nenhum direito que compense os atributos desejados.[45]

Uma das implicações dessas observações é que o indivíduo famoso e o de má reputação parecem ter muito mais coisas em comum entre si do que com o que os "maîtres" e colunistas sociais chamam de "joão-ninguém", porque

---

[45] Para a lei, os esforços de um indivíduo para continuar sendo um cidadão privado ou para retomar tal *status* vieram a formar parte do problema da privacidade. Uma resenha útil pode ser encontrada em M. Ernst e A. Schwartz, *Privacy: The Right to Be Let Alone* (Nova York: The Macmillan Company, 1962).

quando uma multidão deseja mostrar amor ou ódio por alguém pode ocorrer um tipo semelhante de desorganização de seus movimentos habituais. (Esse tipo de falta de anonimidade deve ser contrastado com o que é baseado na identidade social, como no caso do indivíduo que tem uma deformidade física e que sente que está sendo constantemente observado.) Verdugos infames e atores famosos descobriram a conveniência de subir no trem na estação anterior ou de usar um disfarce;[46] os indivíduos podem mesmo se descobrir utilizando estratagemas para fugir da atenção hostil do público, ardis que eles também empregaram em épocas anteriores de sua história para fugir de uma atenção aduladora. De qualquer forma, a informação prontamente disponível sobre a manipulação da identidade pessoal deve ser buscada nas biografias e autobiografias de pessoas famosas ou de má reputação.

Um indivíduo, portanto, pode ser considerado como o ponto central numa distribuição de pessoas que ou só o conhecem de nome ou o conhecem pessoalmente, podendo todas essas pessoas ter um conjunto um pouco diferente de informações sobre ele. Repito que embora o indivíduo, em seus contatos diários, seja, rotineiramente posto em contato com outros que o conhecem diferentemente, essas diferenças em geral não serão incompatíveis; na verdade, algum tipo de estrutura biográfica única será mantido. A relação de um homem com o seu chefe, e sua relação com seu filho podem ser radicalmente diversas, de tal forma que ele não poderá desempenhar com facilidade o papel de empregado ao mesmo tempo em que desempenha o papel de pai, mas se esse homem, quando passeia com o seu filho, encontra com seu chefe, é possível haver um cumprimento e uma apresentação sem que nem a criança nem o chefe reorganizem a sua identificação pessoal do homem — tendo ambos conhecimento da existência e do papel do outro. A etiqueta da "apresentação da cortesia", de fato, assume que a pessoa com quem temos uma relação de papel tenha, de maneira adequada,

---

[46] Ver J. Atholl, *op. cit.*, Cap. 5, "The Public and the Press". Sobre as pessoas famosas que evitam contatos, ver J. Bainbridge, *Garbo* (Nova York: Dell, 1961), especialmente pp. 205-6. Sobre uma técnica corrente - o uso de perucas por estrelas de cinema que têm seu próprio cabelo - ver L. Lieber, "Hollywood's Going Wig Wacky", *This Week*, 18 de fevereiro de 1962.

com outros tipos de pessoas, outros tipos de relações. Dou por estabelecido, então, que os contatos aparentemente casuais da vida quotidiana podem, ainda assim, constituir algum tipo de estrutura que prende o indivíduo a uma biografia, e isso a despeito da multiplicidade de "eus" que o papel e a segregação de audiências lhe permitem.

O Encobrimento

É evidente que se ninguém conhece a existência de um ampla estigmatizante que aflige um indivíduo, ou nem ele mesmo, como ocorrer, digamos, com a lepra não diagnosticada ou de ataques de *petit mal* não reconhecidos, o sociólogo não tem interesse nele, exceto como um recurso de controle para aprender as implicações "primárias"[47] ou objetivas do estigma. Onde o estigma é escrupulosamente invisível e conhecido só pela pessoa que o possui, que não conta nada sobre ele a ninguém, esta é, outra vez, uma questão de importância menor para o estudo do encobrimento. A extensão em que essas duas possibilidades existem e, logicamente, difícil de ser determinada.

De maneira semelhante, deve ficar claro que se um estigma fosse sempre aparente de imediato para qualquer uma das pessoas com as quais um indivíduo tem contato, então o interesse por ele também seria limitado, embora houvesse algum interesse na questão de até que ponto uma pessoa pode-se isolar de contato e, mesmo assim, funcionar livremente na sociedade, na questão do tato e de sua quebra, e na questão do autodesprezo.

Evidentemente, entretanto, esses dois extremos, onde ninguém conhece o estigma e onde todos os conhecem, não conseguem abranger uma amplitude de casos muito grande. Em primeiro lugar, há estigmas importantes, como o das prostitutas, homossexuais, mendigos e viciados em drogas, que exigem que o indivíduo seja cuidadosamente reservado em relação a seu defeito com uma classe de pessoas, a polícia, ao mesmo tempo em que se expõe sistematicamente a outras classes, ou seja, clientes,

---

[47] No sentido introduzido por Lemert, *Social Pathology*, *op. cit.*, pp. 75 e segs.

cúmplices, contatos, receptadores de objetos roubados, etc.[48] Assim, não importa o papel que as vagabundas assumam na presença da polícia, elas frequentemente têm que se revelar às donas de casa como o objetivo de obter uma refeição de graça e podem até mesmo ter que expor seu *status* aos transeuntes, uma vez que são servidas, nas portas dos fundos, daquilo que elas compreensivelmente chamam de "refeições de exibição".[49]

Em segundo lugar, mesmo quando alguém pode manter em segredo um estigma, ele descobrirá que as relações íntimas com outras pessoas, ratificadas em nossa sociedade pela confissão mútua de defeitos invisíveis, levá-lo-ão ou a admitir a sua situação perante a pessoa íntima, ou a se sentir culpado por não fazê-lo. De qualquer maneira, quase todas as questões muito secretas são, mesmo assim, conhecidas por alguém e, portanto, lançam sombras sobre o indivíduo.

De modo semelhante, há muitos casos em que parece que o estigma de um indivíduo sempre será aparente mas em que isso não ocorre; se fizermos um exame, descobriremos que, ocasionalmente, ele terá que optar por ocultar informações cruciais sobre sua pessoa. Por exemplo, embora um rapaz coxo possa parecer que vai sempre se apresentar como tal, pessoas estranhas podem supor, de repente, que ele está temporariamente incapacitado devido a um acidente,[50] assim como uma pessoa cega que entra num táxi escuro com alguém pode descobrir que por um momento, lhe foi atribuída a capacidade de ver,[51] ou um homem cego, de óculos escuros, sentado num bar escuro, pode ser tomado, por um recém-chegado, por alguém que enxerga,[52] ou um homem, cujas duas mãos foram amputadas e substituídas por ganchos, que assiste a um filme pode levar uma mulher sexualmente ousada que esteja sentada a seu lado a gritar de pavor pelo que

[48] Ver T. Hirshi, "The Professional Prostitute", *Berkeley Journal of Sociology*, VII (1962), P. 36.

[49] E. Kane, "The Jargon of the Underworld, *Dialect Notes*, V (1927), 445.

[50] F. Davis, "Polio in the Family: A Study in Crisis and Family Process", Dissertação de Doutorado em Filosofia (Ph.D.), Universidade de Chicago, 1958, p. 236.

[51] Davis, "Deviance Disavowal", *op. cit.*, p. 124.

[52] S. Rigman, *Second Sight* (Nova York: David McKay, 1959), p. 101.

sua mão encontrou de repente.[53] De maneira semelhante, negros de pele muito escura que nunca passaram publicamente despercebidos, podem-se encontrar projetando, por telefone ou por carta, uma imagem de sua pessoa que está sujeita a um descrédito posterior.

Dadas essas várias possibilidades encontradas entre os extremos de completo segredo, por um lado, e informação completa, por outro, parece que os problemas daqueles que fazem esforços conjuntos e organizados para passar despercebidos são os problemas que um grande número de pessoas enfrentará mais cedo ou mais tarde. Devido às grandes gratificações trazidas pelo fato de ser normal, quase todos os que estão numa posição em que o encobrimento é necessário, tentarão fazê-lo em alguma ocasião. Mais ainda, o estigma do indivíduo pode estar relacionado a questões que não convém divulgar a estranhos. Um ex-presidiário, por exemplo, só pode revelar amplamente o seu estigma, prevalecendo-se de maneira imprópria de meros conhecidos, contando-lhes fatos pessoais que vão além do que a relação realmente justifica. Um conflito entre a sinceridade e o decoro será, quase sempre, resolvido em favor desse último. Finalmente, quando o estigma está relacionado a partes do corpo que os normais devem esconder em público, o encobrimento é inevitável, quer desejado ou não. Uma mulher que tenha sofrido uma mastectomia ou um delinquente sexual norueguês cuja pena tenha sido a castração estão obrigados a apresentar-se falsamente em quase todas as situações, devendo esconder seus segredos não convencionais porque os demais ocultam os convencionais.

Quando uma pessoa, efetiva ou intencionalmente, consegue realizar o encobrimento, é possível que haja um descrédito em virtude do que se torna aparente sobre ele, aparente mesmo para os que só o identificam socialmente com base no que está acessível a qualquer estranho naquela situação social. (Assim surge uma grande variedade daquilo que é chamado de "um incidente embaraçoso".) Mas esse tipo de ameaça à identidade social virtual não é, com certeza, o único tipo. Além do fato de que as ações habituais de um indivíduo podem desacreditar suas pretensões habituais, uma das contingências básicas

[53] Russell, *op. cit.*, p. 124.

do encobrimento é de que ele será descoberto por todos os que podem identificá-lo pessoalmente e que incluem entre seus antecedentes biográficos fatos não manifestos e que são incompatíveis com suas pretensões atuais. É então, incidentalmente, que a identificação pessoal relaciona-se estreitamente com a identidade social.

É esta, por conseguinte, a base das variedades de chantagens. Há a *trama*, que consiste em engendrar, agora, um acontecimento que poderá, em breve, ser usado como base para uma chantagem. (A trama deve ser diferençada da *cilada*, um artifício empregado pelos detetives para levar os criminosos a revelarem suas práticas criminais comuns e, assim, sua identidade criminal.) Há a "pré-chantagem", onde a vítima é forçada a continuar num determinado curso de ação devido a um aviso do chantagista de que qualquer mudança o levará a revelar fatos que tornarão a mudança insustentável. W. I. Thomas cita um caso real no qual um policial força uma prostituta a permanecer em sua lucrativa profissão, desacreditando sistematicamente suas tentativas para obter um emprego como uma jovem de boa reputação.[54] Existe a "chantagem de autoconservação", talvez o mais importante tipo, onde o chantagista, intencional ou efetivamente, evita o pagamento de uma sanção recebida porque obrigá-lo a isso resultaria no descrédito do credor.

"A 'presunção de inocência até que a culpa seja provada' dá menos proteção à mãe solteira do que ao pai solteiro. A culpa da mãe é evidenciada por um perfil protuberante — evidência difícil de ser escondida. Ele (o pai) não exibe nenhum sinal exterior, e seu papel acessório deve ser provado. Mas para fornecer tal prova, quando o Estado não assume a iniciativa de estabelecer a paternidade, a mãe solteira deve revelar sua identidade e seu mau comportamento sexual perante uma audiência numerosa. Sua relutância em fazê-lo torna fácil a seu cúmplice a manutenção de seu anonimato e de sua inocência ostensiva, se ele assim o desejar."[55]

Finalmente, há a chantagem "completa", ou clássica, na qual o chantagista recebe dinheiro através da ameaça de revelar fatos sobre o passado ou o presente do indivíduo que poderiam desacreditar por completo a identida-

---

[54] *The Unadjusted Girl* (Boston: Little, Brown & Company, 1923), pp. 144-5.

[55] E. Clark, *Unmarried Mothers* (Nova York: Free Press of Glencoe, 1961), p. 4.

de que ele sustenta no momento. Deve-se observar que toda a chantagem completa inclui o tipo que chamamos de "chantagem de autoconservação", já que o chantagista bem-sucedido, além de obter o que desejava, evita também a penalidade imposta à chantagem.

Falando em termos sociológicos, a chantagem, em si, pode não ser tão importante;[56] é mais importante considerar os tipos de relações que uma pessoa pode ter com aqueles que poderiam, se quisessem, chantageá-la. É aqui que se observa que uma pessoa que tenta encobrir coisas leva uma vida dupla e que o encadeamento lógico informacional da biografia pode dar lugar a diferentes formas de vida dupla.

Quando o fato desacreditável da vida de um indivíduo ocorreu em seu passado, ele ficará preocupado não tanto com as fontes originais de prova e informação, mas com as pessoas que podem retransmitir o que já recolheram. Quando o fato desacreditável é parte da vida atual, nesse caso então, ele deverá prevenir-se contra algo mais que a informação transmitida; ele deve prevenir-se para não ser apanhado em flagrante, como o sugere uma *call girl:*

> "Era possível expor-se sem perigo de prisão, mas isso não deixava de ser igualmente embaraçoso. 'Quando vou a uma festa sempre dou uma olhada no ambiente' — disse ela. — 'Nunca se sabe. Uma vez dei de cara com dois primos. Eles estavam com duas *call girls* e nem me cumprimentaram. Fiquei lá — esperando que eles estivessem muito ocupados pensando em si mesmos para se preocuparem comigo. Sempre pensei no que faria se desse de cara com meu pai, já que ele estava acostumado a andar por esses lugares'."[57]

Se há algo de desacreditável sobre o passado de um indivíduo, ou sobre o seu presente, a precariedade de sua posição parece variar diretamente em função do número de pessoas que sabem do segredo; quanto mais numero-

---

[56] Dada a profusão de coisas que as pessoas costumam ocultar, é uma surpresa que a chantagem completa não seja mais frequente. A sanção legal, é claro, é alta, o que torna a prática, em alguns casos, pouco competitiva, mas ainda assim deve-se explicar por que a sanção legal é tão alta. Talvez o excepcional do ato e a forte sanção contra ele sejam, ambos, expressão do desgosto que sentimos pelo trabalho que nos obriga a enfrentar outras pessoas com fatos que as desacreditam enormemente, servindo esse conhecimento de pressão contra os seus interesses.

[57] Stearn, *Sisters of the Night, op. cit.*, pp. 96-97.

sos os que conhecerem o seu lado obscuro, mais incerta é a sua situação. Para um caixa de banco, é mais seguro flertar com a amiga de sua mulher do que ir à corrida de cavalos.

Quer as pessoas que saibam sejam poucas ou muitas, há, aqui, uma vida dupla simples, que abrange aqueles que pensam que conhecem aquele homem totalmente e aqueles que "realmente" o conhecem. Essa possibilidade deve ser contrastada com a situação do indivíduo que vive uma dupla vida dupla, movendo-se em dois círculos, cada um dos quais desconhece a existência do outro e possui a sua própria biografia do indivíduo. Um homem que tem um caso, que é, talvez, conhecido por um pequeno número de indivíduos que podem, inclusive, estar relacionados com o casal ilícito, está levando uma vida dupla simples. Entretanto, se o casal ilícito começa a fazer amigos que ignoram que ele não é realmente um casal, começa a emergir uma dupla vida dupla. O perigo no primeiro tipo de vida dupla é o da chantagem ou revelação maliciosa; o perigo no segundo tipo, talvez o maior, é o da revelação inadvertida, já que nenhuma das pessoas que conhece o casal está orientada no sentido de manter o segredo que não conhecem como tal.

Considerei até aqui uma existência sem descontinuidades que é ameaçada pelo que outras pessoas sabem sobre o passado do indivíduo ou sobre partes obscuras de seu presente. Agora devemos considerar uma outra perspectiva sobre a vida dupla.

Quando um indivíduo deixa uma comunidade após haver residido nela por alguns anos, ele deixa atrás de si uma identificação pessoal, não raro presa a uma biografia bem circunstanciada que inclui suposições sobre como ele provavelmente "acabará". Em sua comunidade atual, o indivíduo dará margem, também, a que outros componham uma biografia sua, um retrato completo que inclui uma versão do tipo de pessoa que ele era e do meio ambiente do qual ele saiu. Evidentemente podem surgir discrepâncias entre esses dois conjuntos de conhecimentos sobre ele; pode-se desenvolver algo semelhante a uma dupla biografia, à medida que aqueles que o conheceram e os que o conhecem agora pensam conhecer o homem em sua totalidade.

Frequentemente, essa descontinuidade biográfica é superada quando o indivíduo fornece uma informação precisa e adequada sobre o seu passado àqueles que compõem seu mundo atual e quando todos os que o conheceram no passado atualizam as biografias que fizeram dele através de notícias e mexericos. Essa superação é facilitada quando o indivíduo se converteu em alguém que não desacredita sua vida anterior e quando o que ele foi não desacredita muito aquilo em que se transformou, o que, é claro, ocorre na maioria dos casos. Em resumo, haverá descontinuidades em sua biografia, mas elas não serão desacreditadoras.

Embora os estudiosos tenham prestado bastante atenção aos efeitos de um passado censurável sobre a vida atual de alguém, não se deu muito apreço aos efeitos de um presente censurável sobre os primeiros biógrafos. Não se tem apreciado suficientemente a importância que tem para um indivíduo a preservação de uma boa recordação de si por parte daquelas pessoas com as quais já não vive mais, embora esse fato se encaixe perfeitamente dentro do que é chamado de "teoria dos grupos de referência". Aqui, o caso clássico é o da prostituta que, embora ajustada ao meio urbano e aos contatos rotineiros que tem nele, receia "topar" com um homem de sua cidade natal que, é claro, poderá perceber seus atributos sociais presentes e levar essa notícia quando retornar à sua cidade.[58] Nesse caso, o seu *closet* é tão grande quanto o seu campo de ação e ela própria é o esqueleto que mora nele.* Essa preocupação sentimental com aqueles com quem não temos mais um contato efetivo nos mostra um dos castigos que merece uma ocupação imoral, ilustrado no comentário de Park de que são os malandros, e não os banqueiros, que não que-

---

[58] Ver, por exemplo, *Street-Walker* (Nova York: Dell, 1961), pp. 194-6. Embora haja muito material de ficção e mesmo histórias reais, sobre prostitutas, há muito pouco material de qualquer tipo sobre os gigolôs. (Mas ver, por exemplo, C. MacInnes, *Mr. Love and Justice* (Londres: The New English Library, 1962); e J. Murtagh e S. Harris, *Cast the First Stone* [Nova York: Pocket Books, 1958], Caps. 8 e 9). Isto é lamentável, na medida em que talvez não exista uma ocupação masculina em que os membros sejam tão esquivos. A rotina diária do gigolô deve estar cheia de artifícios encobridores ainda não registrados. Mais ainda, é com a maior dificuldade que os gigolôs podem ouvir frente a frente em que consiste a sua ocupação. Essa é uma boa oportunidade, então, para se colher material sobre a situação tanto dos desacreditados quanto dos desacreditáveis.

* Expressão coloquial "*Have skeletons in one's closet*" – Ter algo a esconder. Ter segredos, etc. (N.T.)

rem ter suas fotografias no jornal, modéstia que se deve ao medo de ser reconhecido por alguém de sua terra natal.

Há, na literatura, algumas indicações referentes a um ciclo natural do encobrimento.[59] O ciclo pode começar com um encobrimento inconsciente que o interessado pode não descobrir nunca; daí, passa-se a um encobrimento involuntário que o encobridor percebe, com surpresa, no meio do caminho; em seguida, há o encobrimento "de brincadeira"; o encobrimento em momentos não rotineiros da vida social, como férias em viagens; a seguir, vem o encobrimento em ocasiões rotineiras da vida diária, como no trabalho e em instituições de serviço; finalmente, há o *desaparecimento* — o encobrimento completo em todas as áreas de vida, segredo que só é conhecido pelo encobridor. Observe-se que quando se tenta o encobrimento quase completo, o indivíduo algumas vezes, conscientemente, organiza seu próprio *rito de passagem* indo para outra cidade, escondendo-se num quarto por alguns dias com roupas e cosméticos previamente escolhidos e trazidos por ele, e então, como uma borboleta, emergindo para provar suas novas asas.[60] Em qualquer fase, é, claro, pode haver uma queda no ciclo e um retorno ao invólucro.

Já que ainda não podemos falar de tal ciclo com alguma segurança e, se necessário, sugerir que certos atributos desacreditáveis impedem o desenvolvimento de suas fases finais, é, pelo menos, possível, procurar vários pontos de estabilidade na penetração do encobrimento, é, certamente, exequível observar que a extensão do encobrimento pode variar, de um encobrimento involuntário e momentâneo, num extremo, ao clássico tipo de encobrimento total, no outro.

Anteriormente foram sugeridas duas fases no processo de aprendizagem da pessoa estigmatizada: a aprendizagem do ponto de vista dos normais e a aprendizagem de que, segundo ele, ela está desqualificada. Presume-se que a próxima fase consista na aprendizagem de como

---

[59] Ver H. Cayton e S. Drake, *Black Metropolis* (Londres: Jonathan Cape, 1946)", "A Rose by Any Other Name", pp. 159-171. Agradeço aqui a um trabalho não publicado de Gary Marx.

[60] Sobre o negro que se faz passar por banco, ver R. Lee, *I Passed for White* (Nova York: David McKay, 1955), pp. 89-92; sobre o branco que se faz passar por negro, ver J. H. Griffin, *Black Like Me* (Boston: Houghton Mifflin, 1960), pp. 6-13.

lidar com o tratamento que os outros dão ao tipo de pessoas que ele demonstra ser. Minha preocupação, agora, é com uma fase mais posterior, ou seja, a aprendizagem do encobrimento.

Quando um atributo diferencial é relativamente imperceptível, o indivíduo deve aprender que, na verdade, pode ser discreto. O ponto de vista que outros observadores têm sobre ele deve ser cuidadosamente registrado e não sustentado com uma ansiedade maior que dos próprios observadores. Começando com um sentimento de que tudo o que é conhecido por ele é conhecido pelos outros, frequentemente elabora uma apreciação realística de que não é isso o que ocorre. Por exemplo, contase que os fumadores de *marijuana* aprendem lentamente que podem atuar sob seus efeitos na presença de pessoas que os conhecem bem sem que elas percebam nada de anormal — uma aprendizagem que aparentemente ajuda a transformar um fumante ocasional em fumante regular.[61] De maneira semelhante, há registros de moças que, logo que perdem a virgindade, examinam-se no espelho para ver se o estigma se apresenta, e só aos poucos começam a acreditar que sua aparência atual não é diferente da anterior.[62] Pode-se dar um exemplo paralelo de um homem após sua primeira experiência homossexual:

> "(Sua primeira experiência homossexual) lhe trouxe algum transtorno posteriormente?", perguntei.
>
> "Oh! Não. Só fiquei preocupado de alguém descobrir. Tinha medo de que minha mãe e meu pai pudessem dizê-lo só de me olhar. Mas eles agiram como de costume e comecei a me sentir confiante e seguro novamente."[63]

Pode-se indicar que, devido à identidade social, o indivíduo que tem um atributo diferencial secreto encontrar-se-á durante a rotina diária e semanal em três tipos possível de lugar. Haverá lugares proibidos ou inacessíveis, onde pessoas de seu tipo estão proibidas de ir, e onde a exposição significa expulsão — uma eventualidade frequentemente tão desagradável para ambas as partes que se estabelece, às vezes, uma cooperação tácita para evitá-

---

[61] H. Becker, "Marihuana Use and Social Control", *Social Problems*, III (1955), p. 40.

[62] H. M. Hughes, ed., *The Fantastic Lodge* (Boston: Houghton Mifflin, 1961), p. 40.

[63] Stearth, *The Sixth Man*, *op. cit.*, p. 150.

la; o intruso usa um disfarce e a pessoa que tem direito a estar presente o aceita, embora ambos tenham conhecimento da intromissão. Há lugares públicos nos quais pessoas desse tipo são tratadas cuidadosamente e, às vezes, penosamente, como se não estivessem desqualificadas para uma aceitação rotineira quando, na verdade, de uma certa maneira, o estão. Finalmente, há lugares retirados onde pessoas desse tipo podem-se expor e perceber que não precisam esconder o seu estigma e nem se preocupar com tentativas feitas cooperativamente para não prestar atenção a ele. Em alguns casos, essa liberdade de ação é consequência da escolha da companhia de pessoas que têm estigmas iguais ou semelhantes. Por exemplo, diz-se que o carnaval fornece às pessoas com deficiências físicas uma ocasião na qual o seu estigma é uma questão relativamente pequena.[64] Em outros casos, o lugar retirado pode ser involuntariamente criado como resultado do agrupamento administrativo de indivíduos, contra a sua vontade, em função de um estigma comum. Pode-se acrescentar que mesmo que alguém entre num lugar retirado voluntária ou involuntariamente, é provável que ali se lhe ofereça uma atmosfera de sabor especial. O indivíduo estará à vontade entre seus companheiros e também descobrirá que pessoas conhecidas, que ele não considerava suas iguais, na verdade o são. Entretanto, como indica a citação seguinte, ele correrá ainda o risco de ser facilmente desacreditado se uma pessoa normal que ele conheceu em outro lugar entrar aí.

"Um rapaz de 17 anos, de origem mexicana, foi enviado, por ser considerado pelo tribunal como doente mental, a um sanatório. Ele rejeitou violentamente essa definição, sustentando que não havia nada de errado com ele e que ele desejava ir para um centro de detenção de delinquentes juvenis mais respeitável. No domingo pela manhã, alguns dias após haver chegado ao hospital, foi levado à igreja junto com outros pacientes. Por uma infeliz circunstância, sua namorada veio ao sanatório naquela manhã com uma amiga cujo irmão menor estava internado, e se encaminhou em sua direção. Quando ele a viu, ela ainda não o havia notado, e ele desejou evitá-lo. Deu meia volta e fugiu, tão depressa quanto podia, até que foi alcançado pelos empregados que pensaram que ele havia enlouquecido. Quando foi interrogado por seu comportamento, explicou que sua namorada não sabia que ele estava "nesse lugar para patetas" e que ele não conseguiria suportar a humilhação de ser visto no hospital como paciente."[65]

[64] H. Viscardi, Jr., *A Laughter in the Lonely Night* (Nova York: Paul S. Eriksson, Inc., 1961), p. 309.
[65] Edgerton e Sabagh, *op. cit.*, p. 267.

A ronda de uma prostituta constitui, para ela, o mesmo tipo de ameaça:

"Foi esse aspecto de tal situação social que experimentei quando visitei as alamedas de carruagem do Hyde Park (afirma uma pesquisadora social). A aparência deserta dos caminhos e a intenção aparente de qualquer mulher que por ali caminhasse não só eram suficientes para anunciar meu propósito ao público, mas também obrigaram-me a considerar de que essa área estava reservada a prostitutas — era um lugar delimitado para elas e que emprestava seu colorido a qualquer pessoa que resolvesse entrar ali..."[66]

Essa divisão do mundo do indivíduo em lugares públicos, proibidos, e lugares retirados, estabelece o preço que se paga pela revelação ou pelo ocultamento e o significado que tem o fato de o estigma ser conhecido ou não, quaisquer que sejam as estratégias de informação escolhidas.

Assim como o mundo de alguém está espacialmente dividido por sua identidade social, ele também está por sua identidade pessoal. Há lugares em que, como se diz, ele é conhecido pessoalmente, quer por alguns dos presentes, quer pelo indivíduo encarregado da área (hospedeiro, "maître", taberneiro, etc.); tanto uns como outros asseguram que sua presença no local poderá ser demonstrada posteriormente. Em segundo lugar, há lugares onde ele pode ter certeza de que não "dará de cara" com ninguém que o conheça pessoalmente, e onde (excetuando-se as contingências especiais com que se defrontam as pessoas famosas ou de má reputação, a quem muitas pessoas conhecem de nome sem nunca terem visto pessoalmente) poderá permanecer no anonimato, sem despertar a atenção de ninguém. O fato de ser ou não embaraçoso para sua identidade pessoal estar num lugar em que, por incidente, ele é pessoalmente conhecido, é algo que irá variar, é claro, segundo as circunstâncias, sobretudo segundo a pessoa que o acompanha.

Considerando o fato de que o mundo espacial do indivíduo estará dividido em várias regiões, segundo as contingências nelas contidas para a manipulação da identidade social e pessoal, pode-se continuar a considerar alguns dos problemas e consequências do encobrimento. Essa consideração coincidirá, em parte, com a sabedoria

---

[66] Rolph, *Women of the Streets*, *op. cit.*, pp. 56-7.

popular; os relatos que advertem sobre as contingências do encobrimento são parte da moralidade que empregamos para manter as pessoas em seus lugares.

O indivíduo que se encobre tem necessidades não previstas que o obrigam a dar uma informação que o desacredita; é o que ocorre, por exemplo, quando a mulher de um doente mental tenta receber o seguro-desemprego de seu marido, ou quando um homossexual "casado" tentar fazer um seguro de sua casa e percebe que tem que explicar a escolha singular de seu beneficiário.[67] Ele sofre também de "aprofundamento de pressão", ou seja, pressão para elaborar mentiras, uma atrás da outra, para evitar uma revelação.[68] Suas técnicas adaptativas podem, elas próprias, ferir sentimentos e dar lugar a mal-entendidos por parte de outras pessoas.[69] Seus esforços par esconder certas incapacidades o levam a revelar outras ou a dar a impressão de fazê-lo: relaxamento, como quando uma pessoa quase cega que finge ver tropeça num banquinho ou derrama bebida na camisa; falta de atenção, teimosia, acanhamento, ou distância, como quando uma pessoa que não escuta não responde a alguma observação feita por alguém que ignora a sua deficiência; sonolência, como quando um professor atribui um ataque epiléptico de *petit mal* num aluno a um devaneio momentâneo.[70] Embriaguez, como quando um homem que sofre de paralisia cerebral descobre que sua maneira de andar é sempre mal interpretada.[71] Mais ainda, aquele que se encobre está sempre atento para ouvir o que os outros "realmente" pensam sobre o tipo de pessoas a que ele pertence, tanto que quando os que ignoram estar em contato com alguém dessa espécie começam a relação sem sabê-lo, mudam nitidamente a sua conversa assim que tomam conhecimento do fato. Não saber até que ponto vai a informação que os outros têm de si constitui um problema sempre que

[67] Sugerido por Evelyn Hooker numa conversa.

[68] Em relação ao ocultamento da internação da esposa, ver Yarrow, Clausen e Robbins, *op. cit.*, p. 42.

[69] Sobre a falta de tato e o esnobismo inconsciente do surdo, ver R. G. Barker e*t al.*, *Adjustment to Physical Handicap and Illness* (Nova York: Social Science Research Council Bulletin, nº 55, revisto, 1953), pp. 193-4.

[70] S. Livingston, *Living with Epileptic Seizures* (Springfield: Charles C. Thomas, 1963), p. 32.

[71] Henrich e Kriegel, *op. cit.*, p. 101; ver também página 157.

o seu chefe ou professor está devidamente informado de seu estigma mas os outros não. Como foi sugerido ele pode-se tornar sujeito a vários tipos de chantagem por parte de quem conhece o seu segredo e não tem nenhum bom motivo para guardar silêncio sobre ele.

O indivíduo que se encobre pode também sofrer a experiência clássica e fundamental de ter que se expor durante uma interação face a face, traído pela própria fraqueza que ele tenta esconder, pelos outros presentes ou por circunstâncias impessoais. A situação do gago é um exemplo:

"Nós, que somos gagos, falamos somente quando necessário. Escondemos nosso defeito, às vezes tão bem, que as pessoas íntimas se surpreendem quando, num momento de descuido, uma palavra nos escapa da língua e falamos bruscamente, gritamos, fazemos careta e ficamos asfixiados, até que finalmente o espasmo termina e abrimos nossos olhos para observar o desastre."[72]

O epiléptico sujeito a ataques do *grand mal* é um caso mais extremo; quando recobra a consciência, pode descobrir que está deitado na rua, com incontinência, gemendo e sacudindo-se convulsivamente — um descrédito para a sanidade mental que só é atenuado pelo fato de ele não estar consciente durante parte do episódio.[73] Devo acrescentar que cada grupo de estigmatizados parece ter seu repertório próprio de relatos de advertência sobre uma exibição embaraçosa e que a maior parte de seus membros pode dar exemplos de sua própria experiência.

Finalmente, a pessoa que se encobre pode ser forçada a se revelar a outras que acabaram por descobrir o seu segredo e devem colocá-la frente ao fato de haver mentido. Essa possibilidade pode mesmo ser formalmente instituída, como em interrogatórios sobre saúde mental e no que se segue:

"Doreen, uma garota de Mayfair, diz que o comparecimento ao tribunal 'é a pior parte' de tudo (*i.e.*, da prostituição). Quando se entra por aquela porta todo mundo está esperando por você e observa. Fico de cabeça baixa e nunca olho para os lados. Em seguida eles dizem aquelas palavras horríveis: "Tratando-se de uma prostituta vulgar..." e a gente sente-se

---

[72] C. Van Riper, *Do You Stutter?* (Nova York: Harper & Row, 1939), p. 601, em von Hentig, *op. cit.*, p. 100.

[73] Livingston, *op. cit.*, pp. 30 e segs.

muito mal, sem saber durante todo aquele tempo quem está observando da parte de trás do tribunal. Diz-se 'culpada' e sai-se tão depressa quanto se pode."[74]

A presença de companheiros de sofrimento (ou de "informados") introduz um conjunto especial de contingências relativas ao encobrimento, já que as mesmas técnicas usadas para esconder estigmas podem revelar o segredo a alguém que esteja familiarizado com as manhas do ofício, supondo-se que basta uma pessoa (ou seu círculo mais chegado) para reconhecer um estigma:

"Por que você não tenta com um quiroprático?", me perguntou uma mulher a quem conheci casualmente, enquanto mastigava carne enlatada, sem perceber que estava prestes a fazer meu mundo ruir. "O Dr. Fletcher me disse que está curando a surdez de um de seus pacientes".

Meu coração, em pânico, bateu contra as minhas costelas. Que queria ela dizer com isso?

"Meu pai é surdo", acrescentou. "Posso perceber uma pessoa surda em qualquer lugar. Esta sua voz tão suave... E seu truque de deixar as frases se arrastarem sem terminá-las. Papai faz isto o tempo todo."[75]

Essas contingências ajudam a explicar a ambivalência, já mencionada, que o indivíduo pode sentir quando confrontado com pessoas de seu tipo. Como sugere Wright:

... uma pessoa que deseje esconder sua incapacidade notará em outros traços reveladores de uma incapacidade. Além disso, é provável que ela se ressinta desses traços que revelam a incapacidade porque, querendo esconder a sua deficiência, quer também que as outras pessoas escondam as suas. Assim, o indivíduo que tem dificuldades de audição e luta para esconder esse defeito sente-se incomodado pela velha mulher que coloca as mãos em concha atrás da orelha. A ostentação da incapacidade é, para ele, uma ameaça porque leva à culpa por haver desdenhado a sua própria pertinência ao grupo, assim como à possibilidade de sua própria revelação. Ele pode preferir descobrir sub-repticiamente o segredo da outra pessoa e manter um acordo de cavalheiros segundo o qual ambos devem desempenhar seus papéis fictícios antes que o outro desafie a sua pretensão e lhe confie o seu próprio segredo."[76]

---

[74] Rolph, *Women of the Streets, op. cit.*, p. 24. Para uma colocação geral, ver H. Garfinkel, "Conditions of Successful Degradation Ceremonies", *American Journal of Sociology*, LXI (1956), 420-424.

[75] F. Warfield, *Cotton in My Ears* (Nova York: The Viking Press, 1948), p. 44, em Wright, *op. cit.*, p. 215.

[76] Wright, *op. cit.*, p. 41.

O controle da informação sobre a identidade tem um significado especial nas relações. Estas podem exigir que as pessoas passem algum tempo juntas, e quanto mais tempo um indivíduo passa com outro, mais chance haverá de que este adquira, sobre o primeiro, informações que o desacreditam. Mais do que isso, como já foi sugerido, toda a relação obriga as pessoas nela envolvidas a trocar informações sobre uma certa quantidade de fatos íntimos sobre si mesmas como prova de confiança e de compromisso mútuo. As relações íntimas que o indivíduo tinha antes de ter algo a esconder, ficam, portanto, comprometidas, carentes de informação compartilhada. Relações recentemente formadas ou "pós-estigma" com toda a certeza levarão a pessoa desacreditável além do ponto em que sente como honroso o fato de haver-lhes ocultado os fatos. E, em alguns casos, mesmo relações muito passageiras podem constituir um perigo, já que a pequena conversa entre estranhos, adequada ao início de uma conversação pode tocar em defeitos secretos, como quando a mulher de um homem impotente deve responder a perguntas relativas ao número de filhos que tem e, no caso de não tê-los, por quê.[77]

O fenômeno do encobrimento sempre levantou questões referentes ao estado psíquico da pessoa que se encobre. Em primeiro lugar, supõe-se que ela deve necessariamente pagar um alto preço psicológico, um nível muito alto de ansiedade, por viver uma vida que pode entrar em colapso a qualquer momento. As palavras da mulher de um doente mental ilustram este ponto:

> "... e suponha que depois que George saia do hospital tudo esteja correndo bem e alguém resolva jogar isso em sua cara. Tudo estaria arruinado. Vivo aterrorizada — completamente aterrorizada — de que isso possa acontecer."[78]

Acho que o estudo cuidadoso de pessoas que se encobrem mostraria que nem sempre há esta ansiedade e que, nesse ponto, nossas concepções tradicionais sobre a natureza humana podem nos enganar seriamente.

Em segundo lugar, supõe-se com frequência, e há provas disso, que a pessoa que se encobre sentir-se-á dividida entre duas lealdades. Ela sentir-se-á um pouco

---

[77] "Vera Vaughan", em Toynbee, *op. cit.*, p. 126.

[78] Yarrow, Clausen e Robbins, *op. cit.*, p. 34.

alienada de seu novo "grupo" porque provavelmente não se identificará de maneira completa com a sua atitude em relação aos membros da categoria a que pertencia.[79] E talvez se sentirá desleal e desprezível por não poder responder às observações feitas por membros da categoria dentro da qual ela se encobre contra a categoria à que pertencia — sobretudo quando ela própria considera perigoso não aderir a esse aviltamento. Como sugerem pessoas desacreditáveis:

"Quando se faziam piadas sobre "bichas" eu tinha que rir com as outras pessoas, e quando se falava sobre mulheres eu tinha que inventar minhas próprias conquistas. Eu me odiava em tais momentos, mas aparentemente não havia outra coisa que eu pudesse fazer. Toda a minha vida se converteu numa mentira."[80]

"O tom de voz às vezes usado (por amigos) para se referir a solteironas me chocava porque eu sentia que estava sendo uma impostora: embora tivesse o *status* aparente de uma mulher casada, meu verdadeiro estado era aquele que as pessoas casadas encaram com desprezo. Também me sentia um pouco desonesta com as minhas amigas solteiras, que não conversavam comigo sobre esses assuntos mas que me olhavam com alguma inveja e curiosidade por ter uma experiência que, na verdade, eu não desfrutava."[81]

Em terceiro lugar, considera-se estabelecido, o que aparentemente é correto, que a pessoa que se encobre deverá estar atenta a aspectos da situação social que outras pessoas tratam como não computados ou inesperados. Aquilo que para os normais é um ato rotineiro pode, para os desacreditáveis, ser um problema de manipulação.[82] Esses problemas nem sempre podem ser manejados pela experiência passada, já que sempre surgem novas contingências que tornam inadequados os artifícios de ocultamento anteriores. A pessoa que tem um defeito secreto deve estar atenta para a situação social, esquadrinhando possibilidades e, assim, provavelmente se sentirá alienada do mundo mais simples em que aparentemente vivem as pessoas à sua volta. O que para eles é a base, para ela é a imagem. Um rapaz quase cego nos dá outro exemplo:

---

[79] Riesman, *op. cit.*, p. 114.
[80] Wildeblood, *op. cit.*, p. 32.
[81] "Vera Vaughan", em Toynbee, *op. cit.*, p. 122.
[82] Aqui, novamente, agradeço a Harold Garfinkel.

"Dei um jeito de evitar que Mary soubesse que minha vida não era boa durante duas dúzias de sodas e três filmes. Usava todos os artifícios que havia aprendido. Prestava uma atenção especial todas as manhãs à cor de seu vestido e então ficava com olhos, ouvidos e sexto sentido alertas para qualquer pessoa que pudesse ser Mary. Não corria nenhum risco. Se não tivesse certeza, cumprimentava com familiaridade todas as pessoas que se aproximavam. Provavelmente elas pensavam que eu estava louco, mas eu não me importava. Sempre segurava a sua mão quando íamos para o cinema à noite, e quando voltávamos e ela me guiava sem o saber; dessa forma, não tinha que me preocupar com o meio-fio e com degraus."[83]

Um menino com uma "constrição" que o impedia de urinar em presença de outras pessoas, desejando manter esse atributo diferencial em segredo, descobre que tem de fazer planos e ser cuidadoso, quando os outros simplesmente têm que ser meninos:

"Quando fui para o colégio interno com 10 anos surgiram novas dificuldades e tive que encontrar novos recursos para enfrentá-las. Em termos gerais, não era uma questão de urinar quando tivesse vontade mas sim quando pudesse. Achei que era necessário manter com os outros meninos segredo sobre a minha incapacidade, já que a pior coisa que pode ocorrer a um menino na escola é ser, de uma certa maneira, 'diferente'; assim, ia com eles ao banheiro, embora lá não acontecesse nada além da inveja que eu sentia da liberdade que meus companheiros tinham para se comportar com naturalidade e mesmo desafiar uns aos outros para ver quem alcançava o ponto mais alto na parede. (Gostaria de competir com eles, mas se alguém me desafiava eu sempre respondia que "já tinha terminado".) Eu utilizava vários estratagemas. Um deles era pedir permissão para ir ao banheiro durante as aulas, quando ele estava deserto. Outro era ficar acordado durante a noite para usar o recipiente que ficava sob a minha cama quando os outros ocupantes do quarto estavam dormindo ou, pelo menos, quando estava escuro e eu não podia ser visto."[84]

De maneira semelhante, podemos ficar a par do cuidado constante dos gagos:

"Temos vários truques bem estudados para disfarçar ou minimizar nossos bloqueios. Prestamos atenção a sons e palavras "Jonas",* assim chamados porque são desafortunados e invejamos a facilidade da baleia para

[83] Criddle, *op. cit.*, p. 79.
[84] "N. O. Goe", em Toynbee, *op. cit.*, p. 150.
* Desafortunado, agourento. Alusão ao profeta hebreu Jonas. Num navio, a caminho de Nínive, houve uma grande tempestade. Os marinheiros lançaram sortes para ver de quem era a culpa e esta caiu sobre Jonas que, jogado ao mar para acalmar a tempestade foi engolido por uma baleia.

expulsá-los. Evitamos palavras "Jonas" sempre que podemos, substituindo-as por outras inócuas ou modificando apressadamente o nosso pensamento até que a continuidade de nosso discurso se torne tão emaranhada quanto um prato de espaguete."[85]

E da esposa de um doente mental:

"Muitas vezes o encobrimento é incômodo. Assim, para impedir que os vizinhos soubessem em que hospital estava o marido (já que ela havia dito que ele estava no hospital com suspeita de câncer), Mrs. G. deve correr para seu apartamento a fim de apanhar a correspondência antes que eles o façam, como era costume. Ela teve de renunciar ao café da manhã no *drugstore* com suas vizinhas, para evitar suas perguntas. Antes de permitir a entrada de qualquer pessoa no apartamento ela devia recolher todo e qualquer material que identificasse o sanatório e assim por diante."[86]

E de um homossexual:

"A tensão provocada pelo fato de enganar minha família e meus amigos era quase sempre intolerável. Tinha necessidade de controlar minhas palavras e gestos para não me denunciar."[87]

Entre os colostomizados há algo semelhante:

"Nunca vou a cinemas próximos. Se vou ao cinema, escolho uma casa grande, como o Radio City, onde posso escolher uma poltrona bem atrás de onde posso correr ao banheiro assim que tenho gases."[88]

"Quando entro num ônibus, escolho o lugar com cuidado. Sento num dos bancos de trás ou perto da porta."[89]

Em todos esses casos, é necessário um controle de tempo especial. Assim, há a prática de "viver atado a uma corda" — a síndrome de Cinderela — por meio da qual a pessoa desacreditável permanece próxima ao lugar onde pode retocar seu disfarce ou abandoná-lo momentaneamente; ela só abandona a oficina até uma distância que lhe permita voltar sem perder o controle da informação sobre a sua pessoa:

Após uma oração de Jonas a Deus, glorificando-o, este falou à baleia e ela devolveu Jonas à terra (cf. *A Bíblia Sagrada, Antigo Testamento, Livro de Jonas,* Sociedade Bíblica do Brasil, Rio de Janeiro, s/d, p. 901). (N.T.)

[85] Riper, *op cit.*, p. 601, em von Hentig, *op. cit.*, p. 100.

[86] Yarrow, Clausen e Robbins, *op. cit.*, p. 42.

[87] Wildeblood, *op. cit.*, p. 32.

[88] Orbach *et al., op. cit.*, p. 164.

[89] *Ibid.*

"Como a irrigação é a defesa primaria contra o derramamento e, ao mesmo tempo uma atividade reparadora de grande significado emocional, pessoas que sofreram uma colostomia frequentemente programam viagens e contatos sociais em relação ao tempo e à eficácia da irrigação. As viagens geralmente se restringem a distâncias que podem ser vencidas no intervalo entre as irrigações que são feitas na cidade de origem, e os contatos sociais são limitados a períodos entre as irrigações que permitem a máxima proteção contra o derramamento ou gases. Pode-se considerar, então, que os pacientes vivem atados por um corda cujo comprimento é igual ao intervalo de tempo entre as irrigações."[90]

Há uma questão final que deve ser considerada. Como já foi sugerido, uma criança que tem um estigma pode-se encobrir de um modo especial. Os pais, sabendo da condição estigmática da criança, podem encapsulá-la na aceitação doméstica e na ignorância daquilo em que ela irá transformar-se. Quando se aventura fora de casa, ela o faz, portanto, como alguém que inconscientemente se encobre, pelo menos até onde o seu estigma não é logo perceptível. Nesse ponto, seus pais se defrontam com um dilema básico referente à manipulação de informação, recorrendo algumas vezes a médicos em busca de estratégias.[91] Se a criança recebe a informação sobre o seu estigma ao chegar à idade escolar, é possível que ela não seja bastante forte psicologicamente para suportar a notícia e que, além disso, exponha indiscretamente esses fatos a pessoas que não necessitam conhecê-los. Por outro lado, se ela é mantida por muito tempo na ignorância, não estará preparada para o que lhe pode acontecer e, mais ainda, pode ser informada sobre a sua condição por estranhos que não têm nenhum motivo para usar o tempo e o cuidado necessários para apresentar os fatos de uma forma construtiva e confiante.

Técnicas de Controle de Informação

Sugeriu-se que a identidade social de um indivíduo divide o seu mundo de pessoas e lugares, o que o faz também a sua identidade pessoal, embora de maneira

[90] Orbach *et al.*, *op. cit.*, p. 159.

[91] Para uma versão médica da epilepsia infantil como um problema no controle de informação, ver Livingston, *op. cit.*, "Should Epilepsy be Publicized?", pp. 201-210.

diferente. São esses quadros de referência que devem ser aplicados ao estudo da rotina diária de uma pessoa estigmatizada em particular, como quando ela vai e volta de seu trabalho, de sua casa, das compras e de lugares de diversão. Um conceito-chave aqui é o de rotina diária porque é ela que o vincula às diversas situações sociais de que ela participa. E estuda-se a rotina diária tendo-se em mente uma perspectiva especial: se o indivíduo é uma pessoa desacreditada, procuramos o ciclo quotidiano de restrições que ele enfrenta quanto à aceitação social; se ele é uma pessoa desacreditável, buscamos as contingências com que se depara na manipulação da informação sobre sua pessoa. Por exemplo, um indivíduo que tem uma deformação no rosto pode esperar, como foi sugerido, que pouco a pouco deixe de ser uma surpresa chocante para os seus vizinhos e que possa obter entre eles alguma aceitação; ao mesmo tempo, as indumentárias usadas para esconder parte de sua deformidade terão, na sua vizinhança, menos efeito do que em partes da cidade em que ele é desconhecido e, portanto, menos bem tratado.

Podem-se considerar agora algumas das técnicas usuais utilizadas por aquele que tem um defeito secreto, a fim de manipular a informação crucial sobre si.

É óbvio que uma das estratégias é esconder ou eliminar signos que se tornaram símbolos de estigma. A mudança de nome é um exemplo conhecido.[92] Os viciados em drogas nos fornecem um outro exemplo:

"(Sobre um movimento contra drogas em Nova Orleans): Os policiais começaram a parar viciados na rua em busca de marcas de injeção em seus braços. Se encontravam alguma, pressionavam o viciado a assinar uma declaração admitindo a sua condição de tal modo que ele poderia ser acusado sob a "lei de viciados em drogas". Prometiam aos viciados que eles teriam uma sentença suspensa se se declarassem culpados, e acionavam a nova lei. Os viciados passaram a procurar no corpo outras veias fora da área do braço. Se não fossem encontradas marcas num homem, em geral ele era libertado. Se elas fossem descobertas, em geral ele ficava preso durante 72 horas e tentavam fazê-lo assinar uma declaração."[93]

---

[92] Ver L. Broom, H. P. Beem, e V. Harris, "Characteristics of 1,107 Petitioners for Change of Name", *American Sociological Review,* XX (1955), 33-39.

[93] W. Lee, *Junkie* (Nova York: Ace Books, 1953), p. 91.

Deve-se acrescentar que já que o equipamento físico empregado para mitigar os prejuízos "primários" de algumas desvantagens torna-se, compreensivelmente, um símbolo de estigma, haverá um desejo de recusar o seu uso. Um exemplo disso é o do indivíduo que está perdendo a visão e que evita usar óculos bifocais porque eles poderiam indicar velhice. Mas é claro que essa estratégia pode impedir medidas compensatórias. Por conseguinte, tornar esse equipamento corretivo invisível terá uma dupla função. As pessoas com dificuldades auditivas nos dão uma ilustração do emprego desses equipamentos corretivos invisíveis:

> "A tia Mary (uma parenta que tinha dificuldades de audição) sabia tudo sobre os primeiros audiofones, variações inumeráveis de cornetas acústicas. Ela tinha ilustrações que mostravam como tais receptores eram construídos em chapéus, pentes de prender cabelo, cantis, bengalas, vasos de flores para a mesa da sala de jantar e até nas barbas dos homens."[94]

Uma ilustração mais comum são as "lentes de graduação invisível" — bifocais que não mostram uma "linha divisória".

O ocultamento de símbolos de estigma algumas vezes ocorre ao mesmo tempo que um processo relacionado, o uso de desidentificadores, como pode ser ilustrado pelos hábitos de James Berry, o primeiro verdugo profissional da Inglaterra:

> "Não há certeza de que a violência contra Berry fosse realmente planejada, mas a sua acolhida nas ruas era tal que ele, sempre que podia, usava todos os meios para não ser reconhecido. Contou ele numa entrevista, que em várias ocasiões, quando viajava para a Irlanda, escondia suas correias e cordas dentro da roupa para não ser denunciado pela mala que era uma marca profissional semelhante à pequena maleta preta do médico vitoriano. Seu sentido de isolamento e de desprezo por parte das outras pessoas talvez explique o extraordinário episódio de quando sua mulher e seu pequeno filho o acompanharam à Irlanda para uma execução, apesar da explicação por ele oferecida de que o objetivo disto era esconder a sua identidade, já que ninguém imaginaria que um homem que leva pela mão um menino de 10 anos era um verdugo a caminho do enforcamento de um assassino."[95]

---

[94] Warfield, *Keep Listening, op. cit.*, p. 41.
[95] Atholl, *op. cit.*, pp. 88-89.

Aqui estamos tratando do que os livros de espionagem chamam de uma "capa", e do que outro tipo de literatura descreve como um auxílio conjugal quando um homossexual do sexo masculino e uma mulher homossexual reprimem suas inclinações e casam-se um com o outro.

Quando o estigma de um indivíduo se instaura nele durante a sua estadia numa instituição, e quando a instituição conserva sobre ele uma influência desacreditadora durante algum tempo após a sua saída, pode-se esperar o surgimento de um ciclo específico de encobrimento. Por exemplo, num hospital de doentes mentais[96] descobriu-se que os pacientes que reingressavam na comunidade frequentemente planejavam encobrir-se até um certo ponto. Pacientes que eram obrigados a contar com o funcionário da reabilitação, o funcionário do serviço social ou com as agências de emprego para encontrar um trabalho, quase sempre discutiam com seus companheiros as contingências que teriam que enfrentar e a estratégia-padrão para lidar com elas. Para o primeiro emprego, o ingresso oficial exigia que o empregador, e às vezes o chefe de pessoal, conhecesse o seu estigma, mas havia sempre a possibilidade de que os níveis mais baixos da organização e os companheiros de trabalho fossem conservados numa certa ignorância do fato. Como foi sugerido, isso poderia implicar certo grau de insegurança porque não se saberia com certeza quem "conhecia" e quem "desconhecia" o fato, e até quando duraria a ignorância dos que não o conheciam. Os pacientes expressavam o sentimento de que, após permanecer nesse tipo de emprego durante seis meses, tempo suficiente para juntar algum dinheiro e livrar-se das agências do hospital, eles deixariam o trabalho e, com o antecedente desses seis meses de trabalho, procurariam emprego em algum outro lugar, achando que dessa vez todas as pessoas poderiam ignorar a sua presença num hospital de doentes mentais.[97]

---

[96] Ver o estudo do autor sobre o St. Elizabeths Hospital, Washington, D.C., parcialmente incluído em *Asylums* (Nova York: Doubleday & Co., Anchor Books, 1961).

[97] Para dados sobre a frequência de ex-pacientes que atravessaram tal ciclo de encobrimento, ver M. Linder e D. Landy, "Pos-Discharge Experience and Vocational Rehabilitation Needs of Psychiatric Patients", *Mental Hygiene*, XLII (1958), 39.

Uma outra estratégia de encobrimento é apresentar os signos de seu estigma como signos de um outro atributo que seja um estigma menos significativo. Os retardados mentais, por exemplo, aparentemente tentam passar por doentes mentais já que dos dois males sociais esse é o menor.[98] De maneira semelhante, uma pessoa que tem dificuldades auditivas pode, intencionalmente, burilar a sua conduta para dar aos outros a impressão de ser uma sonhadora, uma pessoa distraída, indiferente, que fica facilmente enfastiada — ou mesmo de alguém que se sente deprimido, ou que ronca e que, portanto, não pode responder a perguntas em voz baixa já que está, evidentemente, adormecido. Esses traços de caráter dão conta da falta de audição sem imputá-la à surdez.[99]

Uma estratégia amplamente empregada pelo sujeito desacreditável é manusear os riscos, dividindo o mundo em um grande grupo ao qual ele não diz nada e um pequeno grupo ao qual ele diz tudo e sobre o qual, então, ele se apoia; ele coopta para exibir sua máscara precisamente àqueles indivíduos que, em geral, constituiriam o maior perigo. No caso de relações próximas que ele já tinha na época em que adquiriu o seu estigma, pode imediatamente "pôr a relação em dia" por meio de uma calma conversa confidencial; posteriormente ele poderá ser rejeitado, mas conserva a postura de alguém que se relaciona de maneira honrada. É interessante observar que esse tipo de manipulação de informação é recomendado amiúde por médicos, em especial quando têm que ser as primeiras pessoas a informar ao indivíduo sobre o seu estigma. Assim, os médicos que descobrem um caso de lepra podem sugerir que o novo segredo fique entre os médicos, o paciente e os familiares mais próximos,[100] propondo, talvez, esse tipo de discrição para garantir uma continuação da cooperação do paciente. No caso de relações pós-estigma que passaram do ponto em que o indivíduo deveria ter contado, ele pode montar um palco confessional com espalhafato emocional que exige a

---

[98] Edgerton e Sabagh, *op, cit.*, p. 268.

[99] Warfield, *Cotton in My Ears, op. cit.*, pp. 21, 29-30, em Wright, *op. cit.*, pp. 23-24. Lemert, *Social Pathology, op. cit.*, p. 95, nos proporciona um enfoque geral, sob o título de "counterfeit roles".

[100] B. Roueché, "A Lonely Road", *Eleven Blue Men* (Nova York: Berkley Publishing Corp., 1953), p. 122.

deslealdade de seu silêncio passado e, portanto, lançar-se à piedade dos outros como alguém que se expôs duplamente, primeiro devido ao seu atributo diferencial e, segundo, devido à sua desonestidade e falta de confiabilidade. Existem registros excelentes dessas cenas tocantes[101] e é necessário compreender o enorme caudal de esquecer-e-perdoar que elas provocam. Não se pode duvidar que um dos fatores do sucesso dessas confissões é a tendência de que se encobre para sondar o outro com o objetivo de se assegurar de que a revelação não trará uma ruptura completa da relação. Note-se que o indivíduo estigmatizado está quase predestinado a essas cenas; as novas relações podem, facilmente, ser desencorajadas antes de se consolidarem, tornando a honestidade imediata necessariamente custosa e, portanto, quase sempre evitada.

Como já foi assinalado, uma pessoa que se encontre numa posição que lhe permite fazer chantagem pode, com frequência, ajudar o indivíduo que se censura a manter o seu segredo; além disso, é provável que ela tenha muitos motivos para fazê-lo. Assim, os gerentes de locais de diversão contratam, com frequência, policiais particulares para proteger os maridos que, às vezes, se demoram ou jogam nesses lugares. Os gigolôs algumas vezes também têm um cuidado semelhante:

> "Os homens (gigolôs) alugavam quartos em hotéis respeitáveis, no primeiro andar acima do vestíbulo, para que seus clientes pudessem usar a escada sem serem vistos pelos ascensoristas ou recepcionistas."[102]

Suas colegas também são igualmente cuidadosas:

> "Se seus clientes são pessoas importantes, as moças não os identificam facilmente ou mencionam seus nomes em conversas, mesmo entre elas."[103]

---

[101] Para uma cena entre a prostituta grávida e o homem desconhecido que quer casar com ela, ver Thomas, *op. cit.*, p. 134; para uma cena de ficção entre um negro que se encobre e uma moça com a qual ele quer casar, ver Johnson, *op. cit.*, pp. 204-205.

[102] Stearn, *Sisters of the Night*, *op. cit.*, p. 13.

[103] H. Greenwald, *The Call Girl* (Nova York: Ballantine Books, 1958), p. 24.

De maneira semelhante, tomamos conhecimento do papel de um cabeleireiro empregado pelas moças de um prostíbulo de "primeira classe":

"Na verdade, ele era mais do que um artista; ele era um amigo sincero de todas as moças da casa, e "Charlie" ouvia confidências que raramente eram feitas a outras pessoas e dava muitos conselhos de senso comum. Além disso, em sua própria casa, na Michigan Avenue, ele recebia a correspondência das moças que mantinham sua profissão em segredo para a família e para os amigos, e era ali, ainda, o lugar onde as moças podiam encontrar os seus parentes que vinham inesperadamente a Chicago."[104]

Outros exemplos são fornecidos por casais nos quais um dos membros pertence a uma categoria estigmatizada enquanto o outro tenta manter as aparências. Por exemplo, sugere-se que o companheiro de um alcoólatra o ajudará a esconder o seu defeito. A mulher de um homem que havia sofrido uma colostomia o ajudará a assegurar-se de que ele não cheira mal[105] e, mais ainda, talvez

"(...) postar-se em casa para interceptar telefonemas e campainhas para que não seja necessária uma intervenção na irrigação..."[106]

O marido de uma mulher que aparentava ouvir de maneira normal a ajudava da seguinte maneira:

"Ele próprio era um homem extremamente delicado, e, a partir do momento em que se apaixonou, instintivamente aprendeu como me ajudar a completar minhas lacunas e a compensar meus erros. Ele tinha uma voz clara e sonora. Nunca parecia levantá-la mas eu sempre ouvia o que ele dizia; pelo menos ele deixava-me pensar que o fazia. Quando estávamos com outras pessoas ele prestava atenção para ver como me saía e quando me via em dificuldades na conversa me dava, imperceptivelmente, chaves para que eu me pudesse manter a par do desenrolar da conversa."[107]

Deve-se acrescentar que as pessoas íntimas não só ajudam a pessoa desacreditável em sua simulação mas também levam essa função além do que suspeita o beneficiário;

---

[104] *Madeleine*, *op. cit.*, p. 71.
[105] Orbach *et al.*, *op. cit.*, p. 163.
[106] *Ibid.*, p. 153.
[107] Warfield, *Keep Listening*, *op. cit.*, p. 21.

elas podem, de fato, servir como um círculo protetor que lhe permite pensar que é mais amplamente aceito como uma pessoa normal do que ocorre na realidade. Portanto, elas estarão mais atentas à sua qualidade diferencial e seus problemas do que ele próprio. Aqui, certamente, a noção de que a manipulação do estigma atinge exclusivamente o indivíduo estigmatizado e os estranhos é inadequada.

É interessante observar que aqueles que compartilham um estigma particular podem frequentemente confiar na ajuda mútua para o encobrimento, o que torna evidente o fato de que todos os que podem ser mais ameaçadores são aqueles que podem dar maior assistência. Por exemplo, quando um homossexual aborda outro, a ação pode ser empreendida de tal forma que os normais não notarão a ocorrência de nada fora do comum:

> "Se observarmos com bastante cuidado e soubermos o que observar num bar de homossexuais, começamos a notar que certos indivíduos parecem comunicar-se entre si sem trocar palavras, utilizando apenas a troca de olhares — mas não aquele tipo de olhar rápido que os homens trocam frequentemente."[108]

Pode-se encontrar o mesmo tipo de cooperação num círculo de pessoas estigmatizadas que se conhecem pessoalmente. Por exemplo, ex-pacientes mentais, que se conheceram na instituição, podem manter um controle tácito sobre esse fato no mundo exterior. Em alguns casos, como quando um deles está com pessoas normais, ambos podem-se ignorar, passando um pelo outro como se não se conhecessem. Quando ocorre um cumprimento, pode ser discreto; o contexto do conhecimento inicial não é explicitado, e o indivíduo cuja situação é a mais delicada tem o direito de regular o conhecimento e o intercâmbio social posterior ao encontro. Aqui, é claro, ex-pacientes mentais não estão sozinhos:

> "A *call girl* profissional tem um código que regulamenta as suas relações com o cliente. Por exemplo, é comum que nunca demonstre reco-

---

[108] E. Hooker, "The Homosexual Community", trabalho não publicado lido no XIV Congresso Internacional de Psicologia Aplicada, Copenhague, 14 de agosto de 1961, p. 8. A estrutura desse encontro de olhares é complexa, envolvendo um reconhecimento cognitivo da identidade social (mas não da pessoal); também implica intenção sexual e, algumas vezes, contato tácito.

nhecer um cliente quando o vê na rua, a não ser que ele a cumprimente antes."[109]

Quando esse tipo de discrição não ocorre, pode-se esperar, algumas vezes, que o indivíduo desacreditado empreenda uma ação disciplinar ativa, como ilustra Reiss em seu trabalho sobre adolescentes e jovens que estabelecem uma relação com homossexuais:

"Estava andando na rua com minha namorada quando me apareceu uma 'bicha' com quem havia estado antes uma vez, que assoviou para mim e disse: 'Olá, queridinho..." Fiquei louco... fui até onde estavam os rapazes, o derrubamos e batemos nele até que ele tivesse vontade de nunca mais voltar... não vou aceitar isso de um veado."[110]

Pode-se esperar que essa manutenção voluntária de vários tipos de distância será estrategicamente empregada por aqueles que se encobrem, com o desacreditável utilizando, aqui, quase as mesmas estratégias que os desacreditados, mas por motivos ligeiramente diversos. Recusando ou evitando brechas de intimidade, o indivíduo pode evitar a obrigação consequente de divulgar informação. Ao manter relações distantes, ele assegura que não terá que passar muito tempo com as pessoas porque, como já foi dito, quanto mais tempo se passa com alguém, maior é a possibilidade da ocorrência de fatos não previstos que revelam segredos. Podem-se citar exemplos do trabalho de manipulação de estigma feito por mulheres de pacientes mentais:

"Porém cortei comunicação com todos os nossos outros amigos (após citar os cinco que conheciam o problema). Não lhes disse que estava deixando o apartamento, e desliguei o telefone sem comunicar nada a ninguém, e assim eles não sabem como entrar em contato comigo."[111]

"Não fiquei demasiadamente amiga de ninguém no escritório porque não quero que as pessoas saibam onde está meu marido. Achei que se ficasse muito amiga delas, começariam a me perguntar coisas, eu poderia começar a falar, e acho que é melhor que o menor número possível de pessoas saiba o que aconteceu a Joe."[112]

---

[109] Greenwald, *op. cit.*, p. 24.

[110] A. J. Reiss, Jr., "The Social Integration of Queers and Peers", *Social Problems*, IX (1961), 118.

[111] Yarrow, Clausen e Robbins, *op. cit.*, p. 36.

[112] *Ibid.*

Ao manter a distância física, o indivíduo também pode restringir a tendência de outras pessoas para construir uma identificação pessoal de si próprio. Ao morar numa região com população móvel, ele pode limitar a intensidade de experiência contínua que os outros têm com ele. Ao morar numa região isolada de outra que frequenta com regularidade, ele pode produzir uma desconexão em sua biografia: quer intencionalmente, como é o caso da mulher solteira que está grávida e sai de seu estado para ter a criança, ou de homossexuais de cidades pequenas que vão para Nova York, Los Angeles ou Paris em busca de uma atividade relativamente anônima; quer não intencionalmente, como é o caso do paciente mental que sente-se agradecido por descobrir que o lugar de seu internamento está fora de sua cidade e, portanto, bem isolado de seus contatos habituais. Ao permanecer dentro de casa e não responder ao telefone ou a quem bate na porta, o indivíduo desacreditável pode-se afastar da maior parte daqueles contatos em que a sua desgraça pode ser incluída como parte de sua biografia.[113]

Deve-se considerar, agora, uma possibilidade final, que permite ao indivíduo antecipar-se a todas as outras. Ele pode voluntariamente revelar-se, transformando, portanto, radicalmente a situação de um indivíduo que tem informações a manipular na de alguém que deve manipular situações sociais difíceis, transformando a situação de uma pessoa desacreditável na de uma pessoa desacreditada. Uma vez que a pessoa que tem um estigma secreto dá informações sobre si, pode-se entregar a qualquer uma das ações, anteriormente citadas, ao alcance de estigmatizados conhecidos como tais, podendo isso explicar, em parte, a sua política de autorrevelação.

Um dos métodos de revelação é o uso voluntário, por um indivíduo, de um símbolo de estigma, um signo extremamente visível que revela o seu defeito onde quer que ele vá. Há, por exemplo, pessoas que têm dificuldades auditivas e que usam auxiliares auditivos desprovidos de bateria;[114] as pessoas parcialmente cegas que usam uma

[113] Um exemplo de ocultamento de gravidez ilegítima é dado em H. M. Hughes, *op. cit.*, pp. 53 e segs.

[114] Barker *et al.*, *Adjustment to Physical Handicap and Illness*, *op. cit.*, p. 241.

bengala branca desmontável; judeus que usam um cordão com a estrela de Davi. Deve-se acrescentar que alguns desses símbolos de estigma, como o distintivo dos Cavaleiros de Colombo que indicam que o portador é católico, não são claramente apresentados como reveladores de estigma mas, ao contrário, têm como finalidade atestar a pertinência do indivíduo a organizações que não têm, pretensamente, em si mesmas, tal significado. Deve-se acrescentar também que os programas militantes de todos os tipos podem utilizar esse recurso, porque o indivíduo que se autossimboliza, garante o seu afastamento da sociedade de normais. A maneira pela qual uma seita de judeus de Nova York se apresenta é um exemplo:

"*Obgehitene Yiden*, 'Judeus Guardiães', incluem os chamados judeus ortodoxos que não só observam o *Shulhan Aruch* nos mínimos detalhes mas também são muito meticulosos e cuidadosos na sua observância. Desempenham todos os mandamentos prescritos e todos os preceitos com o maior cuidado. Essas pessoas são abertamente identificadas como judias. Usam barbas e/ou vestimentas tradicionais com o único objetivo de serem externamente identificadas como judias: barbas para que a imagem de Deus se reflita em seus rostos, roupas tradicionais para que se abstenham de qualquer pecado possível."[115]

Os símbolos de estigma caracterizam-se por estarem continuamente expostos à percepção. Alguns meios menos rígidos de revelação também são usados. Provas transitórias podem ser dadas — digamos, deslizes intencionais — como quando uma pessoa cega comete voluntariamente um ato desajeitado na presença de recém-chegados com o objetivo de informá-los sobre o seu estigma.[116] Há também a "revelação devida à etiqueta", uma fórmula por meio da qual o indivíduo admite o seu próprio defeito como uma questão de fato, baseando-se na suposição de que os presentes estão acima de tais preocupações ao mesmo tempo que os impede de cair numa armadilha mostrando que não o estão. Assim, o "bom" judeu ou o doente mental esperam por "uma ocasião apropriada" na conversa com estranhos e dizem calmamente: "Bem, ser judeu me faz pensar que..." ou "Por ter tido uma experiência direta com doente mental, posso..."

---

[115] S. Poll, *The Hasidic Community of Williamsburg* (Nova York: Free Press of Glencoe, Inc., 1962), pp. 25-26.

[116] Bigman, *op. cit.*, p. 143.

Já foi sugerido que a aprendizagem do encobrimento constitui uma fase da socialização da pessoa estigmatizada e um ponto crítico na sua carreira moral. Sugiro agora que o indivíduo estigmatizado pode vir a sentir que deveria estar acima do encobrimento, que se se aceita e se respeita não haverá necessidade de esconder o seu defeito. Depois de um trabalhoso aprendizado de ocultamento, então, o indivíduo pode começar a desaprendê-lo. É aqui que a revelação voluntária encaixa-se na carreira moral como uma de suas fases. Deve-se acrescentar que nas autobiografias publicadas de indivíduos estigmatizados, essa fase da carreira moral é tipicamente descrita como a fase final, madura e bem ajustada — um estado de graça que tentarei considerar mais adiante.

O Acobertamento

Deve-se estabelecer uma nítida distinção entre a situação da pessoa desacreditada que deve manipular a tensão e a situação da pessoa desacreditável que deve manipular a informação. Os estigmatizados empregam uma técnica adaptativa, entretanto, que exige que o investigador considere essas duas possibilidades. A diferença entre a visibilidade e a obstrução estão implícitas neste ponto.

Sabe-se que as pessoas que estão prontas a admitir que têm um estigma (em muitos casos porque ele é conhecido ou imediatamente visível) podem, não obstante, fazer grandes esforços para que ele não apareça muito. O objetivo do indivíduo é reduzir a tensão, ou seja, tornar mais fácil para si mesmo e para os outros uma redução dissimulada ao estigma, e manter um envolvimento espontâneo no conteúdo público da interação. Entretanto os meios empregados para isso são muito semelhantes aos empregados no encobrimento — e, em alguns casos, idênticos, já que aquilo que esconde um estigma de pessoas desconhecidas também pode facilitar as coisas frente a quem o conhece. É assim que uma moça que anda melhor com sua perna de pau utiliza muletas ou uma perna mecânica nitidamente artificial quando em companhia de outras pessoas.[117] Esse processo será chamado de *acobertamento*. Muitas pessoas que raramente tentam encobrir-se tentam, em geral, se acobertar.

---

[117] Barker, *op. cit.*, p. 198.

Um tipo de acobertamento envolve o indivíduo numa preocupação com os modelos incidentalmente associados com seu estigma. Assim, os cegos, que algumas vezes têm o rosto desfigurado na região dos olhos, diferenciam-se entre si em função desse fato. Os óculos escuros, algumas vezes usados para oferecer voluntariamente uma prova de cegueira podem, ao mesmo tempo, ser usados para acobertar a existência de uma desfiguração facial — nesse caso revela-se a cegueira, ao mesmo tempo em que se oculta a deformidade:

> "Os cegos, seguramente, proclamam bastante a sua condição sem acrescentar a ela nenhum fato cosmético. Não vejo nada que possa aumentar tanto a tragédia da posição de um homem cego do que o sentimento de que, na luta para recuperar a visão, ele não só foi derrotado como perdeu também o aspecto saudável de sua aparência."[118]

De maneira semelhante, já que a cegueira pode levar à impressão de falta de cuidado, pode haver um esforço especial para reaprender a propriedade motora, "um desembaraço, graça e competência em todos os movimento que o mundo das pessoas que enxergam encara como 'normais'".[119]

Um tipo de acobertamento relacionado com o anterior implica esforço para restringir a exibição dos defeitos mais centralmente identificados com o estigma. Por exemplo, uma pessoa quase cega que sabe que as outras pessoas presentes conhecem o seu defeito pode hesitar em ler alguma coisa porque para isso teria que trazer o livro a poucos centímetros de seus olhos o que, segundo ela, expressa muito flagrantemente as qualidades da cegueira.[120] Esse tipo de acobertamento, deve-se acrescentar, é um aspecto importante das técnicas "assimilativas" empregadas por membros de grupos étnicos minoritários; as intenções que informam recursos como a troca de nome e a operação plástica do nariz não são só o encobrimento mas também a restrição da forma pela qual um atributo conhecido se coloca no centro das atenções, porque essa colocação aumenta as dificuldades de se desviar a atenção do estigma.

---

[118] Chevigny, *op. cit.*, pp. 40-41.
[119] *Ibid.*, p. 123.
[120] Criddle, *op. cit.*, p. 47.

A expressão mais interessante do acobertamento é, talvez, a associada à organização de situações sociais. Como já foi sugerido, qualquer coisa que interfira diretamente na etiqueta e na mecânica da comunicação interfere constantemente na interação, e é difícil deixar, com sinceridade, de prestar atenção a ela. Portanto, os indivíduos que têm um estigma, sobretudo os que têm um defeito físico, podem precisar aprender a estrutura da interação para conhecer as linhas ao longo das quais devem reconstituir a sua conduta se desejam minimizar a intromissão de seu estigma. A partir de seus esforços, portanto, podem-se conhecer características da interação que, de outra forma, seriam consideradas demasiadamente óbvias para merecerem atenção.

Por exemplo, as pessoas que têm dificuldades auditivas aprendem a falar no tom que os ouvintes consideram apropriado para a situação, e também a enfrentar logo os momentos críticos durante a interação que exigem especificamente uma boa audição se se deseja manter as boas maneiras:

> "Frances imaginava técnicas elaboradas para fazer frente aos bate-papos de jantar, intervalos de concertos, jogos de futebol, bailes, e assim por diante, para proteger o seu segredo. Mas elas só serviam para torná-la mais insegura e, consequentemente, mais cuidadosa e, por sua vez, novamente, mais insegura. Assim, Frances sabia de cor que num jantar deveria (1) sentar perto de alguém que tivesse uma voz forte; (2) engasgar, tossir ou ter soluços se alguém lhe fizesse perguntas diretas; (3) agarrar-se, ela própria, à conversa, pedindo a alguém que lhe conte uma história que ela já ouviu, fazendo perguntas das quais ela já sabe a resposta."[121]

Da mesma forma, as pessoas cegas algumas vezes aprendem a olhar diretamente para o seu interlocutor, ainda que seu olhar não signifique visão, porque assim evita fixar o olhar no espaço, ou inclinar a cabeça ou, ainda, violar, sem saber, o código relativo aos sinais de atenção por meio dos quais se organiza a interação verbal.[122]

---

[121] Condensado de Warfield, *Cotton in My Ears, op. cit.*, p. 36, em Wright, *op. cit.*, p. 49.

[122] Chevigny, *op. cit.*, p. 51.

3. ALINHAMENTO GRUPAL e IDENTIDADE DO EU

Neste ensaio foi feita uma tentativa para estabelecer uma diferença entre a identidade social e a identidade pessoal. Ambos os tipos de identidade podem ser mais bem compreendidos se considerados em conjunto e contrastados com o que Erikson e outros chamaram de identidade do "eu" ou identidade "experimentada",* ou seja, o sentido subjetivo de sua própria situação e sua própria continuidade e caráter que um indivíduo vem a obter como resultado de suas várias experiências sociais.[1]

As identidades social e pessoal são parte, antes de mais nada, dos interesses e definições de outras pessoas em relação ao indivíduo cuja identidade está em questão. No caso da identidade pessoal, esses interesses e definições podem surgir antes mesmo de o indivíduo nascer e continuam depois dele haver sido enterrado, existindo, então, em épocas em que o próprio indivíduo não pode ter nenhuma sensação inclusive as sensações de identidade. Por outro lado, a identidade do eu é, sobretudo, uma questão subjetiva e reflexiva que deve necessariamente ser experimentada pelo indivíduo cuja identidade está em jogo.[2] Assim quando um criminoso usa um pseudôni-

---

* Em inglês *"ego identity"* e *"felt identity*. (N.T.)

[1] O termo "autoidentidade" (N.T. – em inglês *"self identity"*) seria adequado aqui, mas a sua extensão, o termo "autoidentificação", é comumente usada em referência a alguma coisa mais, ou seja, o indivíduo estabelecendo, ele próprio, a sua identidade pessoal através de documentação ou testamento.

[2] A tipologia tripla de identidade empregada neste artigo deixa sem especificar a frase "identificar-se com" (N.T. – em inglês *"to identify with"*) que tem, ela própria, dois significados comuns: participar como substituto na situação de alguém cuja condição atrai a nossa simpatia; incorporar as-

mo, está-se afastando totalmente de sua identidade pessoal; quando mantém as iniciais originais ou algum outro aspecto de seu nome original, está, ao mesmo tempo, favorecendo um sentido de sua identidade do eu.[3] É claro que o indivíduo constrói a imagem que tem de si próprio a partir do mesmo material do qual as outras pessoas já construíram a sua identificação pessoal e social, mas ele tem uma considerável liberdade em relação àquilo que elabora.[4]

O conceito de identidade social nos permitiu considerar a estigmatização. O de identidade pessoal nos permitiu considerar o papel do controle de informação na manipulação do estigma. A ideia de identidade do eu nos permite considerar o que o indivíduo pode experimentar a respeito do estigma e sua manipulação, e nos leva a dar atenção especial à informação que ele recebe quanto a essas questões.

Ambivalência

Uma vez que em nossa sociedade o indivíduo estigmatizado adquire modelos de identidade que aplica a si mesmo a despeito da impossibilidade de se conformar a eles, é inevitável que sinta alguma ambivalência em relação a seu próprio eu. Algumas expressões dessa ambivalência já foram descritas junto com as oscilações de identificação e associação que a pessoa mostra em relação a seus companheiros de estigma. Outras expressões podem ser citadas.

O indivíduo estigmatizado tem uma tendência a estratificar seus "pares" conforme o grau de visibilidade e imposição de seus estigmas. Ele pode, então, tomar em relação àqueles que são mais evidentemente estigmatizados do que ele as atitudes que os normais tomam em

---

pectos de outrem na formação da própria identidade do eu. A frase "identificar-se com" pode ter esses significados psicológicos, mas além disso, se referir à categoria social de pessoas cujo caráter suposto é atribuído a alguém com parte de sua própria identidade.

[3] Hartman, *op. cit.*, pp. 54-55.

[4] Há, por exemplo, uma conhecida tendência das pessoas para atribuir à sua ocupação maior prestígio do que o fazem pessoas que estão empregadas em outras ocupações.

relação a ele. Assim, as pessoas que têm dificuldades auditivas não se veem absolutamente como pessoas surdas, e as que têm deficiência de visão não se consideram, de maneira alguma, cegas.[5] É em sua associação com, ou separação de, seus companheiros mais visivelmente estigmatizados, que a oscilação da identificação do indivíduo é mais fortemente marcada.

Ligada a esse tipo de estratificação autoevidente, está a questão das alianças sociais, ou seja, se a escolha que o indivíduo faz de amigos, namoradas e esposa ocorrerão dentro de seu próprio grupo ou "do outro lado da linha". Uma garota cega expressa o problema:

> "Uma vez — há alguns anos — pensei que preferia sair com um homem que enxergasse do que com um homem cego. Mas eu de vez em quando saía com rapazes e aos poucos meus sentimentos foram mudando. Valorizo o sentimento que o cego tem em relação a outro cego e posso, agora, respeitar um homem cego por suas próprias qualidades e sentir-me feliz com a compreensão que ele pode me dar."[6]

> "Alguns de meus amigos são cegos, outros, não. Isto, de um certo modo, me parece ser o caminho correto — não posso compreender que as relações humanas sejam governadas por uma dessas possibilidades."[7]

É provável que quanto mais o indivíduo se alie aos normais, mais se considerará em termos não estigmáticos, embora haja contextos em que o oposto parece verdade.

Quer mantenha uma aliança íntima com seus iguais ou não, o indivíduo estigmatizado pode mostrar uma ambivalência de identidade quando vê de perto que eles comportam-se de um modo estereotipado, exibindo de maneira extravagante ou desprezível os atributos negativos que lhes são imputados. Essa visão pode afastá-lo, já que, apesar de tudo, ele apoia as normas da sociedade mais ampla, mas a sua identificação social e psicológica com esses transgressores o mantém unido ao que repele, transformando a repulsa em vergonha e, posteriormente, convertendo a própria vergonha em algo de que se sente envergonhado. Em resumo, ele não pode nem aceitar o seu grupo nem abandoná-lo.[8] (A expressão "preocupação

---

[5] Por exemplo, ver Criddle, *op. cit.*, pp. 44-47.

[6] Henrich e Kriegel, *op. cit.*, p. 187.

[7] *Ibid.*, p. 188

[8] Ver J.-P. Sartre, *Anti-Semite and Jew* (Nova York: Grove Press), pp. 102 e segs.

com a purificação intragrupal" é usada para descrever os esforços de pessoas estigmatizadas não só para "normificar" o seu próprio grupo mas também para limpar totalmente a conduta de outras pessoas do grupo.)[9] A ambivalência parece encontrar-se de maneira mais aguda no processo de "aproximação", ou seja, quando o indivíduo se aproxima a uma distância indesejável de seus iguais enquanto está "com" um normal.[10]

Deve-se esperar, apenas, que essa ambivalência de identidade receba uma expressão organizada em materiais escritos, orais, representados ou apresentados de outra forma qualquer por representantes do grupo. Assim, no humor dos estigmatizados — publicado e representado — encontramos um tipo especial de ironia. Caricaturas, piadas e lendas populares revelam de maneira pouco séria as fraquezas de um membro estereotípico da categoria, mesmo quando esse meio-herói demonstre ingenuamente ser mais esperto do que um normal de *status* destacado.[11] As apresentações sérias dos representantes podem exibir uma ambivalência semelhante, mostrando uma autoalienação semelhante.

As Apresentações Profissionais

Sugeriu-se que o indivíduo estigmatizado se define como não diferente de qualquer outro ser humano, embora ao mesmo tempo ele e as pessoas próximas o definam como alguém marginalizado. Dada essa autocontradição básica do indivíduo estigmatizado, é compreensível que ele se esforce para descobrir uma doutrina que forneça um sentido consistente à sua situação. Na sociedade contemporânea, isso significa que o indivíduo não só tentará, por conta própria, elaborar tal código mas que, como já foi sugerido, os profissionais o ajudarão — algumas vezes com o pretexto de fazê-lo contar sua história de vida ou de contar como se saíram de uma situação difícil.

---

[9] M. Seeman, "The Intellectual and the Language of Minorities", *American Journal of Sociology*, LXIV (1958), 29.

[10] Um episódio interessante, no qual um jovem quase cego encontra uma moça cega numa feira de caridade e tem respostas mistas, é citado em Criddle, *op. cit.*, pp. 71-74.

[11] Ver, por exemplo, J. Burma, "Humor as a Technique in Race Conflict", *American Sociological Review*, XI (1946), 710-715.

Os códigos apresentados ao indivíduo estigmatizado, quer explícita ou implicitamente, tendem a cobrir certas questões-padrão. Um modelo desejável de revelação e ocultamento é proposto. (Por exemplo, no caso de ex-paciente mental algumas vezes recomenda-se que ele esconda devidamente o seu estigma simples conhecido mas que se sinta bastante seguro sobre a natureza médica e não moral de seus defeitos passados para revelar-se à sua esposa, seus amigos mais chegados e seu empregador.) Outras questões-padrão são: fórmulas para se sair de situações delicadas, o apoio que ele deveria dar a seus iguais; o tipo de confraternização que deveria ser mantido com os normais; os tipos de preconceitos contra seus iguais que ele deveria ignorar e os tipos que ele deveria atacar abertamente; até que ponto deveria apresentar-se como uma pessoa tão normal quanto qualquer outra e até que ponto deveria aceitar um tratamento ligeiramente diverso; os fatos sobre seus iguais de que se deveria orgulhar; o fato de ter que se defrontar com seu próprio atributo diferencial.

Embora os códigos ou as linhas apresentadas às pessoas que têm um estigma particular difiram entre si, há alguns argumentos que, apesar de contraditórios, gozam, em geral, de grande aceitação. A pessoa estigmatizada é quase sempre prevenida contra uma tentativa de encobrimento completo. (Apesar de tudo, a não ser pelo confessor anônimo, pode ser difícil que uma pessoa defenda essa posição publicamente na imprensa.) Em geral, também, ela é prevenida contra o fato de aceitar completamente como suas as atitudes negativas que outros têm para com ela. É provável que ela seja prevenida contra a "menestrelização",* [12] por meio da qual a pessoa estigmatizada deseja conquistar as graças dos normais exibindo o repertório completo de qualidades negativas imputadas a seus iguais, consolidando, assim, uma situação vital dentro de um papel ridículo:

---

* Em inglês "minstrelization". A palavra vem de *minstrel*: intérprete (em geral de cor branca) de música ou peça de negros (cf. nota 12 abaixo). (N.T.)

[12] O termo vem de A. Broyard, "Portrait of the Inauthentic Negro", *Complementary,* X (1950), 59-60. Existe um esforço consciente para representar plenamente o papel, algumas vezes denominado "personificação". Sobre negros personificando negros, ver Wolfe, *op. cit.*, p. 203.

"Aprendi também que o aleijado deve ter cuidado em não agir de maneira diferente da expectativa das pessoas. Acima de tudo, eles esperam que o aleijado seja aleijado; seja incapacitado e indefeso: inferior a eles e, assim, têm desconfiança e sentem-se inseguros se os aleijados não correspondem a essas expectativas. É bastante estranho, mas o aleijado tem de desempenhar o papel de aleijado, assim como as mulheres têm que ser o que os homens esperam delas, ou seja, simplesmente mulheres; e os negros frequentemente têm que agir como palhaços frente à raça branca "superior", de tal modo que o homem branco não fique amedrontado por seu irmão negro.

Certa vez conheci uma anã que era um exemplo patético do que estou dizendo. Era muito pequena, tinha cerca de um metro de altura e extremamente bem educada. Na frente de outras pessoas, entretanto, tinha muito cuidado em não ser outra coisa que não "a anã", e desempenhava o papel de boba com o mesmo riso de mofa e os mesmos movimentos rápidos e engraçados que caracterizaram os bufões desde as cortes da Idade Média. Quando estava com amigos, ela podia tirar o gorro, os sinos e atrever-se a ser a mulher que realmente era: inteligente, triste e muito solitária."[13]

E, ao inverso, frequentemente a pessoa estigmatizada está prevenida contra a "normificação" ou "desmenestrelização";[14] ela é encorajada a sentir repugnância por aqueles seus companheiros que, sem chegar a realmente manter um segredo sobre seu estigma, adotam um acobertamento cuidadoso, se preocupando muito em mostrar que, a despeito das aparências, são muito sadios, muito generosos, muito sóbrios, muito masculinos e capazes de realizar pesados trabalhos físicos e esportes que exigem um grande esforço, em resumo, que são, apesar da reputação de que gozam as pessoas de seu tipo, "desviantes cavalheiros", pessoas tão gentis como nós mesmos.[15]

Deveria estar claro que esses códigos de conduta defendidos fornecem ao indivíduo estigmatizado não só uma plataforma e uma política e não só instruções sobre como tratar os outros, mas também receitas para uma atitude apropriada em relação a seu "eu" não con-

---

[13] Carling, *op. cit.*, pp. 54-55.

[14] Lewin, *op. cit.*, pp. 192-193, usa o termo "chauvinismo negativo" para referir-se a esse caso; Broyard, *op. cit.*, p. 62, usa a expressão "inversão de papéis". Ver também Sartre, *op. cit.*, pp. 102 e segs.

[15] Sobre judeus, ver Sartre, *op. cit.*, pp. 95-96; sobre negros, ver Broyard, *op. cit.*; sobre intelectuais, ver M. Seeman, *op. cit.*; sobre japoneses, ver M. Grodzins, "Making Un-Americans", *American Journal of Sociology*, LX (1955), 570-582.

seguir aderir ao código significa estar-se iludindo, ser uma pessoa desencaminhada; ser bem-sucedido significa ser uma pessoa real e digna, duas qualidades espirituais que se combinam para produzir o que é chamado de "autenticidade".[16]

Neste ponto devem ser mencionadas duas implicações da defesa desses códigos. Em primeiro lugar, o conselho sobre a conduta pessoal algumas vezes estimula o indivíduo estigmatizado a tornar-se um crítico da cena social, um observador das relações humanas. Ele pode ser levado a colocar entre parênteses um conjunto de interações sociais casuais para examinar o que elas contêm em matéria de temas gerais. Ele pode tornar-se "consciente da situação" enquanto os normais presentes estão espontaneamente envolvidos na situação, constituindo a própria situação para esses normais um pano de fundo de questões abertas. Essa extensão da consciência pelas pessoas estigmatizadas é reforçada, como já foi sugerido, por sua sensibilidade especial às contingências da aceitação e da revelação, contingências às quais os normais serão menos sensíveis.[17]

Em segundo lugar, os conselhos ao estigmatizado frequentemente se referem com bastante singeleza à parte de sua vida da qual ele mais se envergonha e que considera a mais privada; suas feridas mais profundamen-

---

[16] Deve-se acrescentar que embora a literatura sobre autenticidade se preocupe com a maneira como o indivíduo deve comportar-se, sendo, portanto, moralística, ela é, ao mesmo tempo, apresentada sob o disfarce de uma análise neutra e desapaixonada, já que se supõe que a autenticidade implica orientação realística para a realidade; e, na verdade, atualmente, essa literatura é a melhor fonte de análise neutra das questões de identidade. Para comentários críticos, ver I. D. Rinder e D. T. Campbell, "Varieties of Inauthenticity", *Phylon*, Quarto Trimestre, 1952, pp. 270-275.

[17] Este é simplesmente um aspecto de tendência geral dos indivíduos estigmatizados para enfrentar uma ampla revisão e encapsulamento de sua vida onde um normal não precisaria fazê-lo. Assim, diz-se, frequentemente, que uma pessoa estigmatizada que consegue uma família e um trabalho "fez algo de sua vida". De maneira semelhante, diz-se de alguém que casou com uma pessoa estigmatizada "jogou a vida fora". Tudo isso é reforçado, em alguns casos, quando o indivíduo transforma-se num "caso" para assistentes sociais ou outros funcionários das agências de bem-estar social e se mantém no *status* de caso por toda a sua vida. Sobre a atitude de uma pessoa cega em relação a isso, ver Chevigny, *op. cit.*, p. 100.

te escondidas são tocadas e examinadas clinicamente tal como na moda literária atual.[18] Discussões intensas sobre as posições pessoais podem ser apresentadas em forma de ficção, junto com profundas crises de consciência. São embrulhadas e colocadas à sua disposição fantasias de humilhação e triunfo sobre os normais. Nesse ponto, o mais privado e embaraçoso é o mais coletivo, porque os sentimentos mais profundos do indivíduo estigmatizado são feitos do mesmo material que os membros de sua categoria apresentam numa versão escrita ou oral bastante fluente. E já que aquilo que está ao alcance do estigmatizado está necessariamente ao nosso alcance, é difícil que esse tipo de apresentações evite o surgimento da questão da exposição e da revelação involuntária, embora o seu efeito último seja, provavelmente, útil à situação do estigmatizado.

Alinhamentos Intragrupais

Embora essas filosofias de vida propostas, essas receitas de ser, sejam apresentadas como resultantes do ponto de vista pessoal do indivíduo estigmatizado, a análise mostra que algo mais as informa. Esse algo mais são os grupos, no sentido amplo de pessoas situadas numa posição semelhante, e isso é a única coisa que se pode esperar, já que o que um indivíduo é, ou poderia ser, deriva do lugar que ocupam os seus iguais na estrutura social.

Um desses grupos é o agregado formado pelos companheiros de sofrimento do indivíduo. Os arautos desse grupo sustentam que o grupo real do indivíduo, o grupo a que ele pertence *naturalmente*, é esse.[19] Todas as outras categorias e grupo aos quais o indivíduo também perten-

---

[18] Os escritos recentes de James Baldwin nos fornecem muito material desse tipo referente aos negros. O trabalho de Chevigny, *My Eyes Have a Cold Nose*, é um bom exemplo no que se refere aos cegos.

[19] Daí, por exemplo, que Lewin, *op. cit.*, possa discutir o fenômeno que ele chama de ódio por si mesmo (*self-hate*) e não criar nenhuma confusão mesmo que, com o termo, ele esteja querendo referir-se não ao ódio que o indivíduo tem por si mesmo (que Lewin vê como um resultado frequente do auto-ódio), mas ódio pelo grupo ao qual o estigma o consigna.

ce necessariamente são, de modo implícito, considerados como não verdadeiros; ele, na realidade, não é um deles. O seu grupo real, então, é o agregado de pessoas que provavelmente terão de sofrer as mesmas privações que ele sofreu porque têm o mesmo estigma; seu "grupo" real, na verdade, é a categoria que pode servir para o seu descrédito.

O caráter que esses porta-vozes permitem ao indivíduo é gerado pela relação que ele tem com seus iguais. Se ele volta-se para o seu grupo, é leal e autêntico; se se afasta dele, é covarde e insensato.[20] Aqui, certamente, encontramos um exemplo claro de um tema sociológico básico: a natureza de uma pessoa, tal como ela mesma e nós a imputamos, é gerada pela natureza de suas filiações grupais.

Como é de se esperar, os profissionais que tomam uma perspectiva intragrupal podem defender uma linha

---

[20] Também os cientistas sociais profissionais recomendam que o indivíduo estigmatizado seja leal a seu grupo. Riesman, por exemplo, em "Marginality, Conformity and Insight", *Phylon*, Terceiro Trimestre, 1953, pp. 251-252, ao descrever como um sociólogo, ou um americano, ou um professor podem, cada um deles, ser seduzidos para aceitar elogios pessoais que são um insulto a seu grupo, conta esta história:

"Eu mesmo me lembro de haver dito uma vez a uma advogada que ela não era tão estridente e agressiva como outras Pórcia que eu havia conhecido e sinto que ela tenha tomado isto como um cumprimento, consentindo em trair suas colegas de tribunal do sexo feminino."

Deveria ficar sociologicamente claro que ao se descobrir em diferentes situações sociais o indivíduo ver-se-á frente a diferentes exigências em relação a qual é o seu grupo verdadeiro. Outras questões estão menos claras. Por que, por exemplo, se pede aos indivíduos que já pagaram um preço considerável por seu estigma para não se encobrir; talvez devido à regra de que quanto menos você tem, menos você deve tentar obter? E se é ruim agora e será ruim no futuro a depreciação daqueles que têm um estigma particular, por que deveriam aqueles que têm o estigma, *mais do que aqueles que não o têm*, arcar com a responsabilidade de apresentar e reforçar uma postura imparcial e de melhorar a sorte da categoria como um todo? Uma resposta, é claro, é que as pessoas que têm um estigma deveriam "conhecer melhor", assumindo, assim, uma relação interessante entre conhecimento e moralidade. Uma resposta melhor, talvez, é a de que aqueles que têm um estigma particular são considerados amiúde por si mesmos e pelos normais como ligados, no espaço e no tempo, numa comunidade única que deveria ser sustentada por seus membros.

militante — mesmo até o ponto de apoiar uma ideologia separatista. Conduzindo-se assim em contatos mistos, o estigmatizado elogiará os valores e as contribuições especiais assumidos de sua classe. Ele pode ostentar alguns atributos estereotípicos que poderiam ser facilmente acobertados; assim, podemos encontrar um judeu de segunda geração que intercala em seus discursos, agressivamente, expressões e sotaque de judeu, e o homossexual militante que é acintosamente escandaloso em lugares públicos. O estigmatizado pode, também, questionar abertamente a desaprovação semioculta com a qual ele é tratado pelos normais, e esperar até apanhar o "informado", que se autodesignou como tal, "em falta", isto é, continuar a examinar as ações e as palavras dos outros até obter um sinal fugaz de que as suas demonstrações de aceitação do estigmatizado são apenas a aparência.[21]

Os problemas associados com a militância são bem conhecidos. Quando o objetivo político último é retirar o estigma do atributo diferencial, o indivíduo pode descobrir que os seus esforços podem politizar toda a sua vida, tornando-a ainda mais diferente da vida normal que lhe foi inicialmente negada — mesmo que a próxima geração de companheiros tire um bom proveito desses esforços, obtendo maior aceitação. Mais do que isso, ao chamar a atenção para a situação de seus iguais ele está, de uma certa forma, consolidando uma imagem pública de sua diferença como uma coisa real e de seus companheiros estigmatizados como constituindo um grupo real. Por outro lado, se ele procura algum tipo de separação, e não de assimilação, pode descobrir que está necessariamente apresentando os seus esforços militantes na linguagem e no estilo de seus inimigos. Além disso, os argumentos que apresenta, a situação que examina, as estratégias que defende são parte de um idioma de expressão e sentimento que pertence a toda a sociedade. Seu desdém por uma sociedade que o rejeita só pode ser entendido em termos da concepção que aquela sociedade tem de orgulho, dignidade e independência. Em resumo, a não ser que exista alguma cultura de natureza diferente na qual ele possa

[21] Sobre a resposta militante de alguns pacientes com deformidades faciais, ver Macgregor *et al.*, *op. cit.*, p. 84. Ver também C. Greenberg, "Self-Hatred and Jewish Chauvinism", *Commentary*, X (1950), 426-433.

refugiar-se, quanto mais ele, estruturalmente, se separa dos normais, mais parecido com eles ele se tornará nos aspectos culturais.

Alinhamentos Exogrupais

O grupo de "iguais" do indivíduo pode, então, informar o código de conduta que os profissionais defendem em seu nome. Pede-se, também, que o indivíduo estigmatizado seja da perspectiva de um segundo grupo: os normais e a sociedade mais ampla que eles constituem. Quero considerar com alguma profundidade a imagem projetada por essa segunda perspectiva.

A linguagem dessa posição inspirada pelos normais não é tanto política, como no caso anterior, como psiquiátrica — sendo as representações da higiene mental empregadas como fonte de retórica. O indivíduo que adere à linha defendida é considerado como pessoa madura e bem ajustada; quem não adere é considerado uma pessoa fraca, rígida, defensiva, com recursos internos inadequados. Em que implica essa defesa?

Recomenda-se ao indivíduo que se veja como um ser humano completo como qualquer outro, alguém que, na pior das hipóteses, é excluído daquilo que, em última análise, é apenas uma área da vida social. Ele não é um tipo ou uma categoria, mas um ser humano:

> "Quem disse que os aleijados são infelizes? Eles ou vocês? Só porque eles não podem dançar? Toda música para, em algum momento. Só porque eles não podem jogar tênis? Muitas vezes o sol está muito quente! Só porque têm que ser ajudados a subir e descer escadas? Você preferia fazer outra coisa? A poliomielite não é triste — ela é só um grande inconveniente, o que significa que você não pode ter acessos de mau humor e correr para dentro do quarto e bater a porta com um pontapé. *Aleijados* é uma palavra horrível. Ela especifica! Coloca de lado! É muito íntima! Condescendente! Me dá vontade de vomitar como uma criatura que serpenteia para fora do casulo."[22]

Já que o meu mal não é nada em si mesmo, ele não deveria envergonhar-se dele ou de outros que o têm; nem se comprometer ao tentar ocultá-lo. Por outro lado, por meio de um esforço árduo e de um autotreinamen-

---

[22] Linduska, *op. cit.*, pp. 164-165.

to persistente, ele deveria preencher os padrões comuns tão completamente quanto possível, detendo-se apenas quando surge a questão da normificação; ou seja, quando os seus esforços podem dar a impressão de que ele está querendo negar a sua diferença. (Essa linha de separação muito tênue é traçada de modo diferente, é claro, por diferentes profissionais mas, devido a essa ambiguidade, mais necessária se torna a apresentação profissional.) E porque os normais também têm seus problemas, o indivíduo estigmatizado não deveria sentir mais amargura, ressentimento ou autopiedade. Ao contrário, deveria cultivar um modo de ser alegre e espontâneo.

Disso se segue, logicamente, uma fórmula para tratar com os normais. As habilidades que o indivíduo estigmatizado adquire ao lidar com uma situação social mista deveriam ajudar aos outros que se encontram nela.

Os normais não têm, na realidade, nenhuma intenção maldosa; quando o fazem é porque não conhecem bem a situação. Deveriam, portanto, ser ajudados, com tato, a agir delicadamente. Observações indelicadas de menosprezo e de desdém não devem ser respondidas na mesma moeda. O indivíduo estigmatizado deve não prestar atenção a elas ou, então, fazer um esforço no sentido de uma reeducação complacente do normal, mostrando-lhe, ponto por ponto, suavemente, com delicadeza, que, a despeito das aparências, é, no fundo, um ser humano completo. (O indivíduo deriva da sociedade de maneira tão completa que ela pode confiar naqueles que são os menos aceitos como membros normais, os menos gratificados pelos prazeres do fácil intercâmbio social com outros, para proporcionar um enunciado, uma clarificação e um tributo ao ser interior de cada homem. Quanto mais o estigmatizado se desvia da norma, mais admiravelmente deverá expressar a posse do eu subjetivo-padrão se quiser convencer os outros de que o possui, e mais estes exigirão que ele lhes forneça um modelo daquilo que se supõe que uma pessoa comum deve sentir a respeito dele.)

Quando descobre que os normais têm dificuldade em ignorar seu defeito, a pessoa estigmatizada deve tentar ajudá-los e à situação social fazendo esforços conscientes para reduzir a tensão.[23] Nessas circunstâncias, o indiví-

---

[23] Uma tentativa de fornecer uma análise geral deste tipo de tensão e de sua redução está em E. Goffman, "Fun in Game", em *Encounters* (Nova York: Bobbs-Merrill, 1961), pp. 48-55.

duo estigmatizado pode, por exemplo, tentar "quebrar o gelo", referindo-se explicitamente ao seu defeito de um modo que mostre que ele está livre, que pode vencer suas dificuldades facilmente. Além da trivialidade, recomenda-se, também, a frivolidade:

"Então houve a brincadeira do cigarro. Esta, invariavelmente, era boa para risos. Quando eu entrava num restaurante, num bar ou numa festa, tirava um maço de cigarros, abria-o com ostentação, tomava um, acendia-o e me sentava tranquilamente para fumá-lo. Isto quase sempre chamava a atenção. As pessoas olhavam-me fixamente e eu quase podia ouvi-las dizendo: 'Nossa! Não é maravilhoso o que ele pode fazer com um par de garras?' Quando alguém fazia algum comentário sobre a proeza eu sorria e dizia: 'Há uma coisa com a qual nunca tenho que me preocupar: queimar os dedos'. Sei que isto é um pouco bobo, mas é infalível para quebrar o gelo..."[24]

---

[24] Russell, *op. cit.*, p. 167, em Wright, *op. cit.*, p. 177; ver também Russell, *op. cit.*, p. 151. Deve-se observer que a pessoa que tenta quebrar o gelo pode ser considerada, é claro, como alguém que explora a situação pelo que pode tirar dela, como o mostraram os novelistas. I. Levin, *A Kiss Before Dying* (Nova York: Simon & Schuster, 1953), pp. 178-179, nos dá um exemplo:

"Oh, sim", disse Kingship. "Ele é pobre, está certo, Esforçou-se por mencioná-lo exatamente três vezes na noite passada. E aquela anedota que ele contou, sem mais nem menos, sobre a mulher para quem sua mãe costurava."

"Que mal há em sua mãe costurar para fora?"

"Nada, Marion, nada. É a maneira de ele contar, casual, muito casual. Sabe quem ele me lembrou? Há um homem no clube com uma perna defeituosa e que manca um pouco. Toda vez que jogamos golfe ele diz, 'Ok, rapazes, andem na frente. Este velho perna-de-pau vai alcançá-los'. Então todo mundo anda mais lentamente e você se sente um miserável se ganha dele."

E, ao poder quebrar o gelo, ele pode estar demonstrando a si próprio que ele tem um controle superior da situação (Henrich e Kriegel, *op. cit.*, p. 145):

"Acho que não é responsabilidade da sociedade tentar compreender a pessoa que sofre de paralisia cerebral, mas, ao contrário, é nossa obrigação tolerar a sociedade e, em nome do cavalheirismo, perdoá-la e nos divertirmos com suas loucuras. Esta é uma virtude dúbia, mas desafiadora e divertida. Colocar à vontade pessoas que obviamente estão perturbadas ou curiosas antes que elas tenham uma chance para complicar uma situação, coloca a que está em desvantagem num papel superior ao dos agitadores, e colabora com a comédia humana. Mas isso é algo que custa muito a aprender."

"Uma paciente um tanto sofisticada que tinha o rosto coberto de cicatrizes devido a um tratamento de beleza achava eficaz dizer, de maneira engraçada, ao entrar num lugar cheio de pessoas, "Desculpem, por favor, este caso de lepra."[25]

Sugere-se, também, que o indivíduo estigmatizado que se encontra em companhia mista pode achar útil referir-se à sua incapacidade e a seu grupo na linguagem que ele emprega entre seus iguais, e a que empregam os normais entre si para referir a ele — oferecendo, assim aos normais presentes, um *status* temporário de "informados". Em outros momentos, pode considerar adequado conformar-se à "etiqueta de revelação" e introduzir o seu defeito como um tópico de conversação séria, esperando, assim, reduzir o seu significado como um tópico de interesse reprimido:

"O sentimento do homem defeituoso, de que, *como uma pessoa*, ele não é compreendido, combinado com o embaraço da pessoa não defeituosa em sua presença, produz uma relação tensa, desconfortável que, depois, serve para separá-los. Para aliviar essa tensão social e ser mais bem aceito, ele pode não só desejar satisfazer a curiosidade expressa de pessoas não defeituosas... mas pode também, ele próprio, iniciar a discussão sobre o defeito..."[26]

Muitos meios de ajudar os outros a terem tato com ele são também recomendados, como, no caso dos desfiguramentos faciais, fazer uma pausa no limiar de um encontro para que os participantes tenham tempo para elaborar as suas respostas.

"Um homem de 37 anos, cujo rosto era totalmente desfigurado, e que tinha negócios imobiliários, assinala: "Quando tenho um encontro com um novo contato, dou um jeito de ficar parado a uma certa distância, em frente da porta, de tal forma que a pessoa que entra tenha mais tempo para me ver e acostumar-se à minha aparência antes de começarmos a conversa."[27]

O estigmatizado também é aconselhado a agir como se os esforços dos normais para facilitar-lhe as coisas fossem efetivos e apreciados. Oferecimentos não solicitados de interesse, simpatia e ajuda, embora quase sempre

---

[25] Macgregor *et al.*, *op. cit.*, p. 85.
[26] White, Wright e Dembo, *op. cit.*, pp. 16-17.
[27] Macgregor *et al.*, *op. cit.*, p. 85.

percebidos pelo estigmatizado como uma intromissão em sua intimidade e uma demonstração de presunção, devem ser aceitos com tato:

"Não obstante, a ajuda não é um problema para aqueles que a oferecem. Se o aleijado deseja quebrar o gelo, ele deve admitir o seu valor e permitir que as pessoas o auxiliem. Várias vezes observei o receio e o espanto nos olhos das pessoas desaparecerem quando eu estendia a mão em busca de ajuda, e senti a vida e o calor humano que irradiavam das que se estendiam para me ajudar. Nem sempre temos consciência da ajuda que podemos dar ao aceitar um auxílio, consciência de que, dessa forma, podemos estabelecer uma base para o contato."[28]

Um escritor que sofre de poliomielite aborda um tema semelhante:

"Quando meus vizinhos batem à porta num dia de neve para me perguntar se preciso de alguma coisa do armazém, mesmo que eu esteja preparado para o mau tempo, tento pensar em algum item ao invés de rejeitar um oferecimento generoso. É mais gentil aceitar ajuda do que recusá-la num esforço para provar independência."[29]

E, de maneira semelhante, um amputado:

"Muitos amputados de certo modo dão aos outros o gosto de que se sintam bem ao fazer algo por você. Isto não incomoda as pessoas como incomodaria se você ainda estivesse de pé."[30]

Embora a aceitação tácita dos esforços desajeitados de outras pessoas para ajudá-lo seja um fardo para o estigmatizado, exige-se mais dele. Diz-se que, se realmente se sente à vontade com o seu atributo diferencial, essa aceitação terá um efeito imediato sobre os normais, tornando-se-lhes mais fácil ficarem à vontade com ele em situações sociais. Em resumo, o indivíduo estigmatizado é aconselhado a se aceitar como pessoa normal, pois os outros podem ganhar com isso, e ele também, na interação face a face.

Por conseguinte, a linha inspirada pelos normais obriga o indivíduo estigmatizado a protegê-los de várias for-

---

[28] Carling, *op. cit.*, pp. 67-68.

[29] Henrich e Kriegel, *op. cit.*, p. 185.

[30] G. Ladieu, E. Hanfmann e T. Dembo, "Evaluation of Help by the Injured", *Journal of Abnormal and Social Psychology,* XLII (1947), 182.

mas. Um aspecto importante dessa proteção, que foi simplesmente mencionado anteriormente, será agora reconsiderado.

Considerando o fato de que os normais em muitas situações têm para com a pessoa estigmatizada a gentileza de tratar o seu defeito como se não fosse importante, e o fato de que, provavelmente, o estigmatizado sente que, apesar de tudo, é um ser humano normal como qualquer outro, pode-se esperar que este algumas vezes se permita enganar-se e acreditar-se mais aceito do que realmente é. Tentará, então, participar socialmente, de áreas de contato que os outros não consideram como seu lugar adequado. Assim, um escritor cego descreve a consternação que causou numa barbearia do hotel:

"A loja foi ficando silenciosa e solene na medida em que eu era introduzido nela, e eu fui virtualmente levantado por um empregado uniformizado para me sentar na cadeira. Tentei fazer uma piada, aquela habitual, de cortar o cabelo a cada três meses ainda que não precisasse. Foi um erro, O silêncio me indicou que eu não era um homem que deveria fazer piadas... nem mesmo boas piadas."[31]

Igualmente no que se refere a dança:

"As pessoas pareciam um pouco chocadas em ouvir-me. Eu tinha passado uma tarde no chá dançante no Savoy Plaza. Eles não podiam explicar por que se sentiam assim e quando eu disse que havia adorado e que tencionava repeti-lo na primeira oportunidade, pareceu piorar as coisas. Era algo que um homem cego não deveria fazer. A situação tinha o sabor genérico da falta do respeito devido a um período de luto."[32]

Um aleijado acrescenta outro exemplo:

"Porém as pessoas esperam não só que você desempenhe o seu papel mas que também conheça o seu lugar. Lembro-me, por exemplo, de um homem num restaurante ao ar livre em Oslo. Era muito aleijado e havia deixado a sua cadeira de rodas para subir uma escada bastante alta que levava ao terraço onde se encontravam as mesas. Como não podia usar as suas pernas, ele tinha de arrastar-se sobre os joelhos e quando começou a subir os degraus desta maneira pouco convencional os garçons correram para ele, não para ajudá-lo, mas para lhe dizer que não poderiam servir a um homem de seu tipo no restaurante, já que as

---

[31] Chevigny, *op. cit.*, p. 68.
[32] *Ibid.*, p. 130.

pessoas iam ali para se divertir e não para se sentir deprimidas com a presença de aleijados."[33]

O fato de que o estigmatizado pode estar enganado ao levar muito a sério a aceitação diplomática de sua pessoa indica que essa aceitação é condicional. Ela depende de que os normais não sejam pressionados além do ponto em que podem facilmente dar aceitação ou, na pior das hipóteses, oferecê-la com dificuldade. Espera-se que os estigmatizados ajam cavalheirescamente e não forcem as circunstâncias; eles não devem testar os limites da aceitação que lhes é mostrada, nem fazê-la de base para exigências ainda maiores. A tolerância, é claro, é quase sempre parte de uma barganha.

Fica, agora, evidente, a natureza do "bom ajustamento". Ele exige que o estigmatizado se aceite, alegre e inconscientemente, como igual aos normais enquanto, ao mesmo tempo, se retire voluntariamente daquelas situações em que os normais considerariam difícil manter uma aceitação semelhante.

Já que uma linha de bom ajustamento é apresentada por aqueles que tomam a perspectiva da sociedade mais ampla, deve-se perguntar o que significa para os normais o fato de que o estigmatizado siga essa linha. Significa que a injustiça e a dor de ter que carregar um estigma nunca se apresentarão a eles; significa que os normais não terão de admitir para si mesmos quão limitadas são a sua discrição e a sua tolerância; e significa que os normais podem continuar relativamente não contaminados pelo contato íntimo com o estigmatizado, relativamente não ameaçados em suas crenças referentes à identidade. É precisamente desses significados, na verdade, que derivam as especificações de um bom ajustamento.

Quando uma pessoa estigmatizada adota essa posição de bom ajuste diz-se, com frequência, que ela tem um caráter forte e uma profunda filosofia de vida, talvez porque, no fundo, nós, normais, desejamos encontrar uma explicação para a sua força de vontade e a sua habilidade em agir assim. Podem-se citar as declarações de uma pessoa cega:

"É tão comum encontrar pessoas que não acreditam que o desejo de continuar pode ser motivado por coisas bastante comuns que, como defe-

[33] Carling, *op. cit.*, p. 56.

sa contra essa atitude, devemos desenvolver quase automaticamente uma racionalização para explicar a nossa conduta. Desenvolvemos uma filosofia. Parece que as pessoas insistem em que se tenha uma, e elas pensam que estamos blefando quando dizemos que não temos nenhuma. Assim, fazemos todo o possível para agradar e damos a nossa pequena mostra aos estranhos que encontramos em trens, restaurantes ou no metrô e que desejam saber por que nos mantemos de pé. Um homem de grande discernimento é o que descobre que a sua filosofia raramente é uma invenção pessoal, mas um reflexo da noção que o mundo tem da cegueira."[34]

A fórmula geral é evidente. Exige-se do indivíduo estigmatizado que ele se comporte de maneira tal que não signifique nem que sua carga é pesada, e nem que carregá-la tornou-o diferente de nós; ao mesmo tempo, ele deve-se manter a uma distância tal que nos assegure que podemos confirmar, de forma indolor, essa crença sobre ele. Em outras palavras, ele é aconselhado a corresponder naturalmente, aceitando com naturalidade a si mesmo e aos outros, uma aceitação de si mesmo que nós não fomos os primeiros a lhe dar. Assim, permite-se que uma *aceitação-fantasma* forneça a base para uma *normalidade-fantasma*. Deve ele aceitar tão profundamente a atitude do eu que é definida como normal em nossa sociedade e deve ser parte dessa definição a tal ponto que isso lhe permita representar esse eu de um modo irrepreensível para uma audiência impaciente que fica em semiprontidão à espera de uma outra exibição. Ele pode até mesmo ser levado a unir-se com os normais ao sugerir aos seus iguais que estão descontentes que o desprezo de que se sentem alvo é imaginário — o que, é claro, é provável em alguns momentos, porque em muitas fronteiras sociais as linhas são tão tênues que permitem a qualquer pessoa proceder como se fosse completamente aceita, e isso significa que será realístico orientar-se para signos mínimos, talvez não intencionais.

A ironia dessas recomendações não é o fato de se pedir ao estigmatizado que ele seja, pacientemente, frente aos outros, o que não lhe deixam ser, mas que essa expropriação de sua resposta possa ser a sua melhor recompensa. Se, de fato, ele deseja viver tanto quanto possível "como qualquer

---

[34] Chevigny, *op. cit.*, pp. 141-142. O escritor sugere que esta filosofia pode ser exigida até mesmo de pessoas que nasceram cegas e, portanto, numa posição não muito boa para aprender aquilo que os compensou com tanto sucesso.

outra pessoa", e ser aceito "pelo que realmente é", então, em muitos casos, a posição mais inteligente a tomar é a de que tem um fundo falso, já que, em muitos casos, o grau de aceitação da pessoa estigmatizada pelos normais pode ser maximizada se ela atuar com absoluta espontaneidade e naturalidade como se a aceitação condicional de si mesma, que ela procura não superar, fosse a aceitação total. Mas é claro que o que é um bom ajustamento para o indivíduo é ainda melhor para a sociedade. Pode-se acrescentar que a confusão dos limites é uma característica básica da organização social; o que, até certo ponto, se pede que muitos aceitem é a manutenção da aceitação-fantasma. Qualquer ajustamento mútuo e aprovação mútua entre os dois indivíduos podem ser perturbados se um dos parceiros aceita totalmente o oferecimento que o outro parece fazer; toda a relação "positiva" é feita sob promessas de consideração e ajuda tais que a relação fique prejudicada quando esses créditos são cobrados.

A Política de Identidade

Consequentemente, tanto o intragrupo quanto o exogrupo apresentam uma identidade do eu para o indivíduo estigmatizado, o primeiro com uma fraseologia predominantemente política, o segundo com uma fraseologia psiquiátrica. Diz-se-lhe que se ele adotar uma linha correta (linha essa que depende da pessoa que fala) ele terá boas relações consigo e será um homem completo, um adulto com dignidade e autorrespeito.

E, na verdade, ele terá aceito um eu para si mesmo; mas esse eu é, como deve necessariamente ser, um habitante estranho, uma voz do grupo que fala por e através dele.

Mas todos nós, como afirma às vezes a sociologia, falamos do ponto de vista de um grupo. A situação especial do estigmatizado é que a sociedade lhe diz que ele é um membro do grupo mais amplo, o que significa que é um ser humano normal, mas também que ele é, até certo ponto, "diferente", e que seria absurdo negar essa diferença. A diferença, em si, deriva da sociedade, porque, em geral, antes que uma diferença seja importante ela deve ser coletivamente conceptualizada pela sociedade como um todo. Isso pode ser claramente observado no caso de estigmas instituídos há pouco tempo, como sugere uma pessoa que sofre de um deles:

> "Como resultado de uma lesão no centro de controle do cérebro, nasci com uma paralisia cerebral do tipo atetoide, e não tinha consciência de minha classificação complexa e assustadora até que o termo tornou-se popular, e a sociedade insistiu em que eu admitisse meus desvios assim rotulados. Era algo parecido com pertencer aos Alcoólatras Anônimos. Você não pode ser honesto consigo mesmo até descobrir quem realmente é e, talvez, considerar o que a sociedade pensa que você é ou deveria ser."[35]

Isso fica ainda mais evidente no caso da epilepsia. Desde os tempos de Hipócrates, aqueles que descobriam que sofriam desse tipo de doença tinham assegurado um eu fortemente estigmatizado pelas operações definicionais da sociedade. Essas operações ainda continuam mesmo que o dano físico causado pela doença seja insignificante e mesmo que muitos especialistas empreguem atualmente o termo para referir-se somente a acessos para os quais não se descobre uma causa médica específica (e que são, portanto, menos estigmatizadores).[36] Nesse caso, o ponto no qual a ciência médica deve retratar-se é o ponto em que a sociedade pode agir de maneira mais determinativa.

Assim mesmo que se diga ao indivíduo estigmatizado que ele é um ser humano como outro qualquer, diz-se a ele que não seria sensato tentar encobrir-se ou abandonar "seu" grupo. Em resumo, diz-se-lhe que ele é igual a qualquer outra pessoa e que ele não o é — embora os porta-vozes concordem pouco entre si em relação a até que ponto ele deveria pretender ser um ou outro. Essa contradição e essa pilhéria constituem a sua sorte e seu destino. Elas desafiam constantemente aqueles que representam o estigmatizado, obrigando esses profissionais a apresentar uma política coerente de identidade, permitindo-lhes que percebam logo os aspectos "inautênticos" de outros programas recomendados, mas, ao mesmo tempo com muita lentidão, que não pode haver nenhuma solução "autêntica".

O indivíduo estigmatizado, assim, se vê numa arena de argumentos e discussões detalhados referente ao que

[35] Henrich e Kriegel, *op. cit.*, p.155.
[36] Livingston, *op. cit.*, pp. 5 e 291-304.

ela deveria pensar de si mesma, ou seja, à identidade de seu eu. A seus outros problemas, ela deve acrescentar o de ser simultaneamente empurrada em várias direções por profissionais que lhe dizem o que deveria fazer e pensar sobre o que ela é e não é, e tudo isso, pretensamente, em seu próprio benefício. Escrever ou fazer discursos defendendo qualquer uma dessas saídas é, em si, uma solução interessante mas que, infelizmente, é negada à maior parte dos que simplesmente leem e estudam.

4. O EU e SEU OUTRO

Este ensaio se ocupa com a situação da pessoa estigmatizada e com a resposta à situação em que ela se encontra. Para colocar o quadro de referência resultante no contexto conceptual conveniente será útil considerar o conceito de desvio a partir de diferentes ângulos, constituindo-se este numa ponte que liga o estudo do estigma ao do resto do mundo social.

Desvios e Normas

É possível pensar nos defeitos raros e dramáticos como os mais adequados para a análise aqui empregada. Entretanto parece que a diferença exótica é mais útil apenas como um meio de se tomar consciência de suposições de identidade tão completamente satisfeitas que escapam a essa conscientização. É possível, também, pensar que grupos minoritários estabelecidos, como negros e judeus, podem ser os melhores objetos para esse tipo de análise. Isso poderia levar facilmente a um desequilíbrio no tratamento. Em termos sociológicos a questão central referente a esses grupos é o seu lugar na estrutura social; as contingências que essas pessoas encontram na interação face a face é só uma parte do problema, e algo que não pode, em si mesmo, ser completamente compreendido sem uma referência à história, ao desenvolvimento político e às estratégias correntes do grupo.

É possível, também, restringir a análise àqueles que possuem um defeito que dificulta quase todas as suas situações sociais, levando-os a elaborar uma grande parte de sua autoconcepção em termos relativos, em termos de sua resposta a essa situação.[1] Este relatório tem argumentos diversos. É provável que o mais afortunado dos normais tenha o seu defeito semiescondido, e para cada pequeno defeito há sempre uma ocasião social em que ele aparecerá com toda a força, criando uma brecha vergonhosa entre a identidade social virtual e a identidade social real. Portanto, o ocasionalmente precário e o constantemente precário formam um *continuum* único, sendo a sua situação de vida passível de ser analisada dentro do mesmo quadro de referência. (Daí porque as pessoas que só têm uma pequena diferença acham que entendem a estrutura da situação em que se encontram os completamente estigmatizados — quase sempre atribuindo essa simpatia à profundidade de sua natureza humana e não ao isomorfismo das situações humanas. As pessoas completa e visivelmente estigmatizadas, por sua vez, devem sofrer do insulto especial de saber que demonstram abertamente a sua situação, que quase todo mundo pode ver o cerne de seus problemas.) Está, então, implícito, que não é para o diferente que se deve olhar em busca da compreensão da diferença, mas sim para o comum. A questão das normas sociais é, certamente, central, mas devemos nos preocupar menos com os desvios pouco habituais que se afastam do comum do que com os desvios habituais que se afastam do comum.

Pode-se tomar como estabelecido que uma condição necessária para a vida social é que todos os participantes compartilhem um único conjunto de expectativas normativas, sendo as normas sustentadas, em parte, porque foram incorporadas. Quando uma regra é quebrada, surgem medidas restauradoras; o dano termina e o prejuízo é reparado, quer por agências de controle, quer pelo próprio culpado.

Entretanto, as normas com que lida esse trabalho referem-se à identidade ou ao ser, e são, portanto, de um tipo especial. O fracasso ou o sucesso em manter tais normas têm um efeito muito direto sobre a integridade psicológica do indivíduo. Ao mesmo tempo, o simples desejo de permanecer fiel à norma — a simples boa vontade — não é o bastante, porque em muitos casos o indivíduo não

[1] O que Lemert, *Social Pathology, op. cit.*, pp. 75 e segs., denominou "desvio secundário".

tem controle imediato sobre o nível em que apoia a norma. Essa é uma questão da condição do indivíduo, e não de sua vontade; é uma questão de conformidade e não de aquiescência. Somente se for introduzida a suposição de que o indivíduo deveria conhecer o seu lugar e nele permanecer, é que se pode encontrar, para a sua condição social, um equivalente completo na ação voluntária.

Além disso, embora algumas dessas normas, como a visão e a alfabetização, devam ser, em geral, sustentadas com total adequação pela maior parte das pessoas da sociedade, há outras normas, como as associadas com a beleza física, que tomam a forma de ideais e constituem modelos perante os quais quase todo mundo fracassa em algum período de sua vida. E mesmo quando estão implícitas normas amplamente realizadas, a sua multiplicidade tem o efeito de desqualificar muitas pessoas. Por exemplo, num sentido importante há só um tipo de homem que não tem nada do que se envergonhar: um homem jovem, casado, pai de família, branco, urbano, do Norte, heterossexual, protestante, de educação universitária, bem empregado, de bom aspecto, bom peso, boa altura e com um sucesso recente nos esportes. Todo homem americano tende a encarar o mundo sob essa perspectiva, constituindo-se isso, num certo sentido, em que se pode falar de um sistema de valores comuns na América. Qualquer homem que não consegue preencher um desses requisitos ver-se-á, provavelmente — pelo menos em alguns momentos — como indigno, incompleto e inferior; em alguns momentos, provavelmente, ele se encobrirá e em outros é possível que perceba que está sendo apologético e agressivo quanto a aspectos conhecidos de si próprio que sabe serem, provavelmente, considerados indesejáveis. Os valores de identidade gerais de uma sociedade podem não estar firmemente estabelecidos em lugar algum, e ainda assim podem projetar algo sobre os encontros que se produzem em todo lugar na vida quotidiana.

Além disso, há mais coisas envolvidas do que as normas referentes a atributos de *status* um tanto estáticos. Não se trata apenas da visibilidade mas da intrusibilidade; isso significa que o fracasso em sustentar as muitas normas melhores importantes na etiqueta da comunicação face a face pode ter um efeito bastante difundido na aceitação do culpado em situações sociais.

Portanto não é muito útil tabular os números de pessoas que sofrem das dificuldades humanas delineadas neste livro. Como sugeriu Lemert, o número seria tão alto quanto se desejasse;[2] e quando a ele se acrescentam aqueles que têm um estigma de cortesia e os que, alguma vez, experimentaram esse tipo de situação ou estão destinados a experimentá-la, mesmo que devido ao envelhecimento progressivo, o problema já não é saber se uma pessoa tem experiência com seu próprio estigma, porque ela a tem, mas sim saber quantas são as variedades dessa experiência.

Pode-se dizer, então, que as normas de identidade engendram tanto desvios como conformidade. Duas soluções gerais para essa situação normativa já foram citadas. Uma delas era que uma categoria de pessoas sustentasse a norma mas que fosse definida por si mesma e pelos outros como não sendo a categoria relevante para encarregar-se dela e colocá-la em prática. Uma segunda solução dirigia-se ao indivíduo que não pode manter uma norma de identidade para separar-se da comunidade que sustenta a norma ou abster-se de desenvolver, em primeiro lugar, um vínculo com a comunidade. Essa é, obviamente, uma solução custosa tanto para a sociedade quanto para o indivíduo, mesmo que se produza sempre em pequenas quantidades.

Os processos aqui descritos constituem, em conjunto, uma terceira solução principal para o problema de normas não sustentadas. Através deles, a base comum das normas pode ser levada além do círculo dos que as realizam totalmente; essa é, logicamente, uma afirmativa, sobre a função social desses processos, e não sobre suas causas ou sua desejabilidade. O encobrimento e o acobertamento estão implícitos, dando ao pesquisador a oportunidade de aplicar as artes da manipulação da impressão, as artes, básicas na vida social, através das quais o indivíduo exerce controle estratégico sobre a imagem de si mesmo e os frutos que os outros recolhem dele, Também está implícita uma forma de cooperação tácita entre os normais e os estigmatizados: aquele que se desvia pode continuar preso à norma porque os outros mantêm cuidadosamen-

[2] E. Lemert, "Some Aspects of a General Theory of Sociopathic Behaviour", *Proceedings of the Pacific Sociological Society*, State College of Washington, XVI (1948), 23-24.

te o seu segredo, fingem ignorar sua revelação, ou não prestam atenção às provas, o que impede que o segredo seja revelado; esses outros, em troca, podem permitir-se ampliar seus cuidados porque o estigmatizado irá, voluntariamente, se abster de exigir uma aceitação que ultrapasse os limites que os normais consideram cômodos.

O Desviante Normal

Deve-se ver, então, que a manipulação do estigma é uma característica geral da sociedade, um processo que ocorre sempre que há normas de identidade. As mesmas características estão implícitas quer esteja em questão uma diferença importante do tipo tradicionalmente definido como estigmático, quer uma diferença insignificante, da qual a pessoa envergonhada tem vergonha de se envergonhar. Pode-se, portanto, suspeitar de que o papel dos normais e o papel dos estigmatizados são parte do mesmo complexo, recortes do mesmo tecido-padrão. É óbvio que os estudantes orientados para a psiquiatria frequentemente mostraram a consequência patológica da autodepreciação, assim como argumentaram que o preconceito contra um grupo estigmatizado pode ser uma forma de doença. Esses extremos, entretanto, não nos interessam, porque os padrões de resposta e adaptação considerados neste ensaio parecem poder ser completamente compreendidos dentro do quadro de referência da psicologia normal. Pode-se considerar estabelecido, em primeiro lugar, que as pessoas que têm estigmas diferentes estão numa situação apreciavelmente bastante semelhante e respondem a ela de uma forma também bastante semelhante. O farmacêutico do bairro pode conversar com toda a vizinhança, mas as farmácias do bairro são sempre evitadas por pessoas que procuram todos os tipos de equipamento e medicação — pessoas extremamente diversas que não têm nada em comum a não ser uma necessidade de controlar a informação. E, em segundo lugar, pode-se dar por estabelecido que o estigmatizado e o normal têm a mesma caracterização mental e que esta é, necessariamente, a caracterização-padrão de nossa sociedade; a pessoa que pode desempenhar um desses papéis, então, tem exatamente o equipamento necessário para desempenhar o outro e, na verdade, em relação a um outro estigma, é provável que ela tenha adquirido uma certa experiência para fazê-lo. Mais importante ainda, a simples noção de diferenças *vergonhosas* assume uma certa semelhança quanto a crenças cruciais, as crenças referentes à identidade. Mesmo quando um indivíduo tem sentimentos e crenças bastante anormais, é provável que ele tenha preocupações normais e utilize estratégias bem normais ao tentar esconder essas anormalidades de outras pessoas, como o sugere a situação de ex-pacientes mentais:

> "Uma das dificuldades está centrada em torno do significado de "emprego razoável". Os pacientes algumas vezes não conseguem, mas outras vezes não desejam explicar por que um determinado emprego "não é razoável" ou é impossível para eles. Um homem de meia-idade não conseguia explicar que por ter tanto medo de escuro insistia em dividir o seu quarto com uma tia e que, provavelmente, não poderia trabalhar num lugar de onde fosse obrigado a voltar para casa sozinho nas noites de inverno. Ele tenta superar o seu medo, mas fica reduzido a um estado de colapso físico se deixado só à noite. Em tal exemplo — e havia muitos outros — o receio que o ex-paciente tinha do ridículo, ao desprezo ou à severidade torna difícil para ele explicar o motivo da recusa ou do abandono dos empregos que lhe eram oferecidos. Ele pode, então, facilmente ser rotulado de pouco afeito ao trabalho ou não empregável, o que financeiramente pode ser desastroso."[3]

De maneira semelhante, quando uma pessoa de idade descobre que não consegue lembrar dos nomes de alguns de seus amigos mais chegados, ela provavelmente evitará ir a lugares onde possa encontrá-los, ilustrando, assim, uma perturbação e um plano que exigem capacidades humanas que não têm relação alguma com a velhice.

Se, então, a pessoa estigmatizada deve ser chamada de desviante, seria melhor que ela fosse denominada *desviante normal*, pelo menos até o ponto em que a sua situação é analisada dentro do quadro de referência aqui apresentado.

Há uma prova direta dessa unidade eu-outro, normal-estigmatizado. Por exemplo, parece que as pessoas que repentinamente se descobrem livres de um estigma, como nas operações plásticas bem-sucedidas, podem ser rapidamente consideradas por si mesmas e pelos outros como pessoas que alteraram a sua personalidade, uma alteração

[3] Mills, *op. cit.*, p. 105.

em direção ao aceitável,[4] assim como as que de repente adquiriram um defeito podem experimentar relativamente rápido uma mudança na personalidade aparente.[5] Essas mudanças percebidas parecem ser o resultado do fato de o indivíduo estar colocado numa nova relação com as contingências da aceitação na interação face a face, com uma utilização consequente de novas estratégias de adaptação. Uma prova adicional importante vem de experiências sociais nas quais os sujeitos assumem conscientemente uma deficiência (temporariamente, é claro) como uma surdez parcial e se descobrem manifestando espontaneamente as reações, e empregando os artifícios encontrados entre os que realmente têm aquele defeito.[6]

Deve-se mencionar, ainda, outro fato. Como a mudança do *status* de estigmatizado para o *status* de normal é feita, presumivelmente, numa direção desejada, é compreensível que a mudança, quando ocorre, possa ser psicologicamente sustentada pelo indivíduo. Mas é muito difícil compreender como aqueles que sustentam uma transformação súbita de sua vida de pessoa normal para pessoa estigmatizada podem sobreviver, em termos psicológicos a essa mudança; ainda assim, isso ocorre com muita frequência. O fato de que ambos os tipos de transformação possam ser sustentados — mas especialmente o último tipo — sugere que as capacidades e treinamento-padrão nos dão meios para manipular ambas as possibilidades. E uma vez que essas possibilidades são aprendidas, o resto, infelizmente, vem com facilidade. Aprender que está além dos limites, ou não mais além dos limites depois de haver estado, não é, então, nada complicado, mas apenas um novo alinhamento dentro de um velho quadro de referência e uma assunção detalhada para si do que ele antes pensava que residia nos outros. O doloroso de uma estigmatização repentina, então, pode ser resultado não da confusão do indivíduo sobre sua identidade, mas do fato de ele conhecer suficientemente a sua nova situação.

Tomado, pois, através do tempo, o indivíduo pode desempenhar ambos os papéis do drama normal-desviante.

---

[4] Macgregor *et al.*, *op. cit.*, pp. 126-129.

[5] *Ibid.*, pp. 110-114.

[6] L. Meyerson, "Experimental Injury: an Approach to the Dynamics of Physical Disability", *Journal of Social Issues*, IV (1948), 68-71. Ver também Griffin, *op. cit.*

Mas deve-se ver que mesmo encaixado num rápido momento social, o indivíduo pode fazer ambas as exibições, mostrando não só uma capacidade geral para desempenhar ambos os papéis, mas também o aprendizado e domínio necessários para executar de modo corrente o comportamento de papel que lhe é exigido. Isso é facilitado, é claro, pelo fato de que os papéis de estigmatizado e normal não são simplesmente complementares mas exibem ainda paralelos e semelhanças surpreendentes. Aqueles que desempenham cada um dos papéis podem evitar o contato com o outro como um meio de ajustamento; cada um deles pode sentir que não é completamente aceito pelo outro e que sua própria conduta está sendo cuidadosamente observada — no que pode ter razão. Cada um pode ficar com seus "iguais" só para não ter que enfrentar o problema. Além disso, as assimetrias de diferenças entre os papéis que existem são quase sempre mantidas dentro de tais limites, conforme será favorecido pela tarefa comum e crucial de manter a situação social em marcha. A sensibilidade ao papel do outro deve ser suficiente para que quando empregadas certas táticas adaptativas por um dos componentes do par normal-estigmatizado, o outro saiba como se introduzir e assumir o papel. Por exemplo, se a pessoa estigmatizada não conseguir apresentar o seu defeito de modo realista, o normal pode assumir a tarefa. E quando os normais tentam, com tato, ajudar a pessoa estigmatizada a sair de suas dificuldades, ela pode cerrar os dentes e aceitar dignamente ajuda, sem considerar a boa vontade do esforço.

As provas do desempenho desse papel bicéfalo estão amplamente disponíveis. Por exemplo, quer por brincadeira ou seriamente, as pessoas se encobrem, e isso em ambas as direções, dentro ou fora da categoria estigmatizada. Outra fonte de provas é o psicodrama. Essa "terapia" assume que o paciente mental e outras pessoas que ultrapassaram os limites podem, quando no palco, trocar os papéis e desempenhar o papel de normal para alguém que agora está representando o seu papel para ele; e, na verdade, eles podem encenar essa peça sem muitas deixas e com razoável competência. Uma terceira fonte de prova de que o indivíduo pode manter simultaneamente o domínio sobre os papéis do normal e do estigmatizado nos chega através de brincadeiras atrás das cortinas. As pessoas normais, quando estão entre si, "imitam" um tipo de estigmatizados. Em iguais circunstâncias, os estigmatizados imitam os normais como a si próprios. Em tom de brincadeira, representam cenas de degradação, com um de seus pares desempenhando o papel do mais grosseiro dos normais, enquanto ele interpreta momentaneamente o papel complementar, para explodir numa rebelião substitutiva. Como parte desse triste prazer, haverá o emprego não sério de termos de referência de estigma que são, com frequência, tabu na sociedade "mista".[7] Deve-se repetir que esse tipo de brincadeira por parte dos estigmatizados não demonstra tanto nenhuma espécie de distância crônica do indivíduo em relação a si mesmo como demonstra o fato mais importante de que um estigmatizado é, sobretudo, igual a qualquer outro, treinado, em primeiro lugar, nas opiniões de que os outros têm de pessoas como ele e diferindo deles, acima de tudo, por ter uma razão especial para resistir ao descrédito do estigma quando em sua presença, e uma liberdade especial em expressá-lo quando em sua ausência.

Um caso especial do emprego superficial de uma linguagem e um estilo autoabusivo é fornecido pelos representantes profissionais do grupo. Quando representando seu grupo perante os normais, podem incorporar, de maneira exemplar, as ideias desses últimos, tendo sido escolhidos, em parte, por poderem agir assim. Entretanto, quando tratando de negócios sociais entre seus iguais, podem sentir uma obrigação especial de mostrar que não esqueceram as formas de ação do grupo ou seu próprio lugar, e no palco podem empregar o dialeto, expressões e gestos nativos, numa caricatura humorística de sua identidade. (A audiência pode, então, se dissociar daquilo que ainda tem um pouco, e identificar-se com o que ainda não se tornou.) Essas representações, entretanto, têm amiúde

[7] Por exemplo, em relação aos negros, ver Johnson, *op. cit.*, p. 92. Sobre o uso de "maluco" por pacientes mentais, ver, por exemplo, I. Belknap, *Human Problems of a State Mental Hospital* (Nova York: McGraw-Hill Book Company, 1956), p. 196; e J. Kerkhoff, *How Thin the Veil* (Nova York: Greenberg, 1952), p. 152. Davis, "Deviance Disavowal", *op. cit.*, pp. 130-131, dá exemplos relativos aos fisicamente incapacitados, assinalando que o emprego desses termos com os normais seria uma prova de que os normais são informados.

um aspecto ajustado, cultivado; alguma coisa foi nitidamente colocada entre parênteses e elevada à categoria de arte. De qualquer forma, pode-se descobrir com regularidade no mesmo representante a capacidade de ser mais "normal" do que a maior parte dos membros de sua categoria que se orientam nessa direção, embora ao mesmo tempo ele possa dominar o seu idioma nativo com muito mais firmeza do que as pessoas de sua categoria orientadas para essa direção. E quando um representante não tem essa capacidade de manipular as duas faces, ver-se-á forçado a desenvolvê-la.

Estigma e realidade

Até agora argumentou-se que se deveria dar um destaque central às discrepâncias entre as identidades social real e social virtual. As manipulações de tensão e de informação foram enfatizadas — como o indivíduo estigmatizado pode apresentar a outras pessoas um eu precário, sujeito ao insulto e ao descrédito. Mas parar aqui criaria uma visão unilateral, dando sólida realidade ao que é muito mais frágil do que aquilo. O estigmatizado e o normal são parte um do outro; se alguém se pode mostrar vulnerável, outros também o podem. Porque ao imputar identidades aos indivíduos, desacreditáveis ou não, o conjunto social mais amplo e seus habitantes, de uma certa forma, se comprometeram, mostrando-se como tolos.

Tudo isso estava implícito na colocação de que o encobrimento às vezes é realizado porque é considerado divertido. A pessoa que se encobre ocasionalmente quase sempre conta o incidente a seus companheiros para mostrar como os normais são bobos e como todos os seus argumentos sobre a sua diferença são meras racionalizações.[8] Esses erros de identificação provocam o riso e o regozijo daquele que se encobre e os de seus companheiros. De forma semelhante, descobre-se que os que, naquele momento, costumam esconder a sua identidade pessoal ou ocupacional podem sentir prazer em tentar o diabo, ao conduzir a conversação com normais que não suspeitam de nada até o ponto em que estes, sem o saber,

[8] Ver Goffman, *Asylums, op. cit.*, p. 112.

passam por tolos ao expressar noções que a presença da pessoa que se encobre desacredita completamente. Em tais casos, o que se mostrou falso não foi a pessoa com uma diferença mas qualquer outra e todos os que, por acaso, participavam da situação e que tentaram manter os padrões convencionais de tratamento.

Mas há, é claro, exemplos ainda mais diretos da ameaça à situação e não à pessoa. Os indivíduos fisicamente incapacitados, ao precisarem receber demonstrações de simpatia e curiosidade por parte de estranhos, podem, algumas vezes, proteger a sua privacidade empregando outros recursos que não o tato. Assim, uma menina que só tinha uma perna, vítima de frequentes interrogatórios de como havia perdido a perna, desenvolveu um jogo que denominou "Presunto e Pernas",* no qual a brincadeira era responder a um interrogatório com uma explicação dramaticamente grotesca.[9] Uma outra moça na mesma situação, conta uma estratégia semelhante:

> "As perguntas relativas a como havia perdido minha perna costumavam me aborrecer, então inventei uma resposta-padrão que impedia que as pessoas continuassem a perguntar: 'Pedi dinheiro a uma companhia de empréstimos e eles ficaram com minha perna como garantia!'"[10]

Respostas breves que põem fim a um encontro indesejado também são citadas:

> "Minha pobre menina! Vejo que perdeu a sua perna!"
> E esta é a oportunidade para o *touché*: "Que falta de cuidado a minha!"[11]

Além disso, há o artifício muito menos gentil de "enganar o outro", por meio do qual os membros militantes de grupos em posição desvantajosa, em ocasiões sociais, elaboram uma história, sobre si mesmos e sobre seus sentimentos, para os normais que muito desajeitadamente lhe expressam simpatia, até um ponto em que fica patente que a história foi construída para mostrar que é pura invenção.

---

* Em inglês "*ham and legs*". Joga com "*ham and eggs*" – ovos com presunto, prato típico americano. (N.T.)

[9] Baker, *op. cit.*, pp. 92-94.

[10] Henrich e Kriegel, *op. cit.*, p.50.

[11] Baker, *op. cit.*, em Wright, *op. cit.*, p. 212.

É possível que um olhar frio termine com um encontro antes que se inicie, conforme ilustrado pelas memórias de um anão agressivo:

"Lá estavam os insensíveis, que olhavam como montanheses que haviam vindo ao povoado para assistir a um espetáculo ambulante. Lá estavam os disfarçados, de tipo furtivo que se afastariam enrubescidos se alguém os apanhasse. Havia os compassivos, cujos estalos da língua podiam quase ser ouvidos quando eles já se tinham afastado. Mas, pior ainda, havia os tagarelas, cujas observações podiam ser assim resumidas: "Como vai, pobre garoto?" Diziam isso com os olhos, os gestos e o tom de voz.

Eu tinha uma defesa-padrão — um olhar frio. Assim, anestesiado contra meus semelhantes, poderia lutar com o problema básico — entrar e sair vivo do metrô."[12]

A partir daqui não há mais do que um passo para que as crianças aleijadas, que algumas vezes conseguem bater em quem as agride, ou que pessoas, excluídas de maneira polida mas categórica, de certos ambientes, entrem polida e categoricamente nesses ambientes com grande determinação.[13]

A realidade social sustentada pelo membro dócil de uma categoria estigmatizada particular e pelo normal polido tem, ela própria, uma história. Quando, como no caso do divórcio ou da etnicidade irlandesa, um atributo perde grande parte de sua força como um estigma, ter-se-á presenciado um momento em que a definição prévia da situação é cada vez mais atacada, em primeiro lugar, talvez, nos palcos teatrais e, mais tarde, durante o contato misto em lugares públicos, até que pare de exercer controle não só sobre o que é facilmente perceptível como sobre o que deve ser mantido como segredo ou ser penosamente ignorado.

Como conclusão, posso repetir que o estigma envolve não tanto um conjunto de indivíduos concretos que podem ser divididos em duas pilhas, a de estigmatizados e a de normais, quanto um processo social de dois papéis no qual cada indivíduo participa de ambos, pelo menos em algumas conexões e em algumas fases da vida. O normal e o

---

[12] Viscardi, *A Man's Stature*, p. 70, em Wright, *op. cit.*, p. 214. Sobre técnicas semelhantes empregadas por um homem que tinha garras, ver Russell, *op. cit.*, pp. 122-123.

[13] Uma experiência referente a esses casos está registrada em M. Kohn e R. Williams, Jr., "Situational Patterning in Intergroup Relations", *American Sociological Review*, XXI (1956), 164-174.

estigmatizado não são pessoas, e sim perspectivas que são geradas em situações sociais durante os contatos mistos, em virtude de normas não cumpridas que provavelmente atuam sobre o encontro. Os atributos duradouros de um indivíduo em particular podem convertê-lo em alguém que é escalado para representar um determinado tipo de papel; ele pode ter de desempenhar o papel de estigmatizado em quase todas as suas situações sociais, tornando natural a referência a ele, como eu o fiz, como uma pessoa estigmatizada cuja situação de vida o coloca em oposição aos normais. Entretanto, os seus atributos estigmatizadores específicos não determinam a natureza dos dois papéis, o normal e o estigmatizado, mas simplesmente a frequência com que ele desempenha cada um deles. E já que aquilo que está envolvido são os papéis em interação e não os indivíduos concretos, não deveria causar surpresa o fato de que, em muitos casos, aquele que é estigmatizado num determinado aspecto exibe todos os preconceitos normais contra os que são estigmatizados em outro aspecto.

Agora, parece, por certo, que a interação face a face, pelo menos na sociedade americana, é construída de forma tal que se torna propensa ao tipo de problema considerado neste ensaio. Parece também que as discrepâncias entre as identidades virtual e real sempre ocorrerão e sempre criarão a necessidade de manipulação de tensão (em relação ao desacreditado) e controle de informação (em relação ao desacreditável). E quando os estigmas são muito visíveis ou intrusivos — ou são transmissíveis ao longo das descendências familiares — as instabilidades resultantes na interação podem ter um efeito muito profundo sobre os que recebem o papel de estigmatizado. Entretanto, a indesejabilidade percebida de uma propriedade pessoal *particular*, e sua capacidade para acionar esses processos de normalidade e estigmatização têm a sua própria história, uma história que é regularmente mudada por uma ação social intencional. E embora se possa argumentar que os processos de estigmatização parecem ter uma função social geral — a de recrutar apoio para a sociedade entre aqueles que não são apoiados por ela — é presumivelmente, esse nível, são resistentes à mudança, deve-se ver que parecem estar implícitas aí funções adicionais que variam muito marcantemente segundo o tipo de estigma. A estigmatização daqueles que têm maus antecedentes morais pode, nitidamente, funcionar como um meio de controle social formal; a estigmatização de membros de certos grupos raciais, religiosos ou étnicos tem funcionado, aparentemente, como um meio de afastar essas minorias de diversas vias de competição; e a desvalorização daqueles que têm desfigurações físicas pode, talvez, ser interpretada como uma contribuição à necessidade de restrição à escolha do par.[14]

[14] Agradeço, por essa última sugestão, a David Matza.

5. DESVIOS e COMPORTAMENTO DESVIANTE

Uma vez que a dinâmica da diferença vergonhosa é considerada uma característica geral da vida social, pode-se passar a encarar a relação entre o seu estudo e o estudo de assuntos próximos associados ao termo "comportamento desviante" — uma expressão atualmente em moda que foi, de um certo modo, evitada aqui até agora, apesar da conveniência do rótulo.[1]

Começando com a noção muito geral de um grupo de indivíduos que compartilham alguns valores e aderem a um conjunto de normas sociais referentes à conduta e a atributos pessoais, pode-se chamar "destoante" a qualquer membro individual que não adere às normas, e denominar "desvio" a sua peculiaridade. Não acredito que todos os destoantes tenham em comum coisas suficientes que assegurem uma análise especial; eles diferem entre si muito mais do que se parecem, em parte devido à diferença geral de tamanho dos grupos onde podem ocorrer desvios. Pode-se, entretanto, subdividir a área em pequenos lotes, alguns dos quais vale a pena cultivar.

Sabe-se que uma posição alta ratificada em alguns grupos pequenos muito unidos pode estar associada a uma liberdade para desviar e, portanto, para ser um destoante. A relação de tal destoante com o grupo e a concepção que os membros fazem dele são tais que impedem a reestru-

[1] É notável que aqueles que se ocupam das ciências sociais tenham-se habituado com tanta facilidade ao uso do termo "desviante", como se aqueles a quem o termo é aplicado tivessem em comum tantas coisas significativas que eles poderiam ser considerados como um todo. Assim como há distúrbios iatrogênicos causados pelo trabalho que realizam os médicos (o que, então, lhes dá mais trabalho), há também categorias de pessoas que são criadas pelos estudiosos da sociedade e, então, por eles estudadas.

turação em virtude do desvio. (Quando o grupo é grande, entretanto, o membro proeminente considerará que eles devem concordar completamente de todas as maneiras visíveis.) O membro que é definido como fisicamente doente está, de um certo modo, na mesma situação; se ele manipula corretamente o seu *status* de doente, pode desviar-se dos padrões de desempenho sem que isso seja considerado como uma crítica dele ou de sua relação com o grupo. O membro proeminente e o doente podem estar livres, então, para serem destoantes precisamente porque seu desvio pode ser aceito, já que não implica uma reidentificação; sua situação especial demonstra que eles não são mais que desviantes (*deviants*) — no sentido comum do termo.[2]

Em vários grupos e comunidades muito unidos, há exemplos de um membro que se desvia, quer em atos, quer em atributos que possui, ou em ambos e, em consequência, passa a desempenhar um papel especial, tornando-se um símbolo do grupo e alguém que desempenha certas funções cômicas, ao mesmo tempo que lhe é negado o respeito que merecem outros membros maduros.[3] Caracteristicamente, esse indivíduo deixa de praticar o jogo da distância social, aproximando-se dos demais e permitindo que eles se aproximem dele. Ele é frequentemente o centro da atenção que reúne os outros num círculo participante à sua volta, mesmo que isso o despoje do *status* de ser um participante. Ele serve como mascote para o grupo embora sendo, em alguns aspectos, qualificado como um membro normal. O idiota da aldeia, o bêbado da cidade pequena e o palhaço do pelotão são exemplos tradicionais desse ponto; o gordo fraternal é outro. Pode-se esperar encontrar apenas uma pessoa desse tipo em cada grupo, já que somente uma lhe é necessária; mais exemplos só aumentariam o peso do fardo da comunidade. Ele poderia ser chamado de *desviante intragrupal* para recordar que se desvia de um grupo concreto e não só de normas, e que sua inclusão intensiva, embora ambivalente, no gru-

[2] A relação complexa de um destoante com seu grupo foi recentemente reconsiderada por L. Coser, "Some Functions of Deviant Behavior and Normative Flexibility", *American Journal of Sociology*, LXVIII (1962), 172-181.

[3] Sobre estas e outras funções do desviante, ver R. Dentler e K. Erickson, "The Functions of Deviance in Groups", *Social Problems*, VII (1959), 98-107.

po o distingue de outro tipo conhecido de destoante — o isolado do grupo que está, constantemente, em situações sociais com o grupo mas que não faz parte dele. (Quando o desviante intragrupal é atacado por estranhos, o grupo pode correr em sua ajuda; quando o isolado do grupo é atacado, o mais provável é que tenha que lutar sozinho.) Observe-se que todos os tipos de destoantes considerados aqui estão fixados no interior de um círculo no qual a informação biográfica extensiva sobre eles — uma identificação pessoal completa — é difundida.

Sugeriu-se que em grupos menores o desviante intragrupal pode ser diferençado de outros destoantes porque, à diferença desses, ele encontra-se numa relação destorcida com a vida moral que é sustentada, em geral, pelos outros membros. Na verdade, se alguém quisesse considerar outros papéis sociais junto com o de desviante intragrupal, poderia ser útil voltar-se para aqueles papéis desempenhados por indivíduos que não seguem o ritmo da moralidade corrente, embora não sejam conhecidos como destoantes. Se se desloca o "sistema de referência" de grupos pequenos de tipo familiar para grupos que podem sustentar uma especialização maior de papéis, duas funções se evidenciam. Uma delas, que são moralmente mal-alinhadas, é o de pastor ou padre, sendo aquele que a desempenha obrigado a simbolizar a vida correta e a vivê-la além do normal; a outra é a de oficial de justiça e o indivíduo que a exerce é obrigado a fazer um inventário diário completo das infrações visíveis de outras pessoas.[4] Quando o "sistema de referência" é deslocado de uma comunidade local de contatos face a face para o mundo mais amplo dos aglomerados metropolitanos (e suas áreas conexas, de recursos e residenciais), verifica-se um deslocamento correspondente na variedade e no significado dos desvios.

Um desses tipos de desvio é importante para nós aqui: seja, o desvio apresentado pelos indivíduos que voluntária e abertamente se recusam a aceitar o lugar social que lhes é destinado e que agem de maneira irregular e, sob um certo aspecto, rebelde, no que se refere a nossas instituições básicas[5] — a família, o sistema de classifica-

---

[4] Este tema é desenvolvido em H. Becker, *Outsiders* (Nova York: Free Press of Glencoe, 1963), pp. 145-163.

[5] Um aspecto geral que me foi sugerido por Dorothy Smith.

ção por idade, a divisão de papéis estereotipada entre os sexos, o emprego legítimo em tempo integral que implica a manutenção de uma identidade pessoal única ratificada governamentalmente, e a segregação por classe e por raça. Esses são os "desafiliados". Os que seguem esse caminho a título individual e por conta própria podem ser chamados de "excêntricos" ou "originais". Aqueles cuja atividade é coletiva e centrada em algum edifício ou lugar (e frequentemente numa atividade específica) podem ser chamados de cultistas. Os que se agrupam numa subcomunidade ou meio podem ser denominados *desviantes sociais* e a sua vida corporada pode ser chamada de comunidade desviante.[6] Eles constituem um tipo especial, mas somente um tipo, de destoante.

Se deve haver um campo de investigação chamado de "comportamento desviante" são os seus desviantes sociais, conforme aqui definidos, que deveriam, presumivelmente, constituir o seu cerne. As prostitutas, os viciados em drogas, os delinquentes, os criminosos, os músicos de *jazz*, os boêmios, os ciganos, os parasitas, os vagabundos, os gigolôs, os artistas de *show*, os jogadores, os malandros das praias, os homossexuais,[7] e o mendigo impenitente

[6] O termo "comunidade desviante" não é inteiramente satisfatório porque obscurece duas questões: se a comunidade é ou não peculiar segundo padrões estruturais derivados de uma análise da caracterização das comunidades comuns; e se os membros da comunidade são ou não desviantes sociais. Um posto militar unissexual num território despovoado é uma comunidade desviante no primeiro sentido, mas não necessariamente uma comunidade de desviantes sociais.

[7] O termo "homossexual" é, geralmente, usado em referência a alguém que se engaja em práticas homossexuais abertas com um membro de seu mesmo sexo, sendo essa prática chamada de "homossexualismo". Esse emprego parece estar baseado num quadro de referência médico e legal e nos dá uma categorização muito ampla e heterogênea para ser usada aqui. Refiro-me, somente, a indivíduos que participam de uma comunidade específica de entendimento dentro da qual os membros do mesmo sexo são definidos como os objetos sexuais mais desejáveis, e a sociabilidade está energeticamente organizada ao redor da busca e conservação desses objetos. Segundo essa concepção, há quatro variedades básicas de vida homossexual: o tipo masculino e o feminino encontrados em instituições de custódia e os círculos de "informados" masculinos e femininos encontrados nos centros urbanos. (Para esse último caso, ver Hooker, *op. cit.*) Observe-se que um indivíduo pode conservar a filiação no mundo homossexual sem se engajar em práticas homossexuais, assim como pode explorar o homossexual pela venda de favores sexuais sem participar so-

da cidade seriam incluídos. São essas as pessoas consideradas engajadas numa espécie de negação coletiva da ordem social. Elas são percebidas como incapazes de usar as oportunidades disponíveis para o progresso nos vários caminhos aprovados pela sociedade; mostram um desrespeito evidente por seus superiores; falta-lhes moralidade; elas representam defeitos nos esquemas motivacionais da sociedade.

Uma vez estabelecido o núcleo do desvio social, pode-se passar para exemplos periféricos: os radicais políticos que têm base na comunidade, que não só votam de maneira divergente mas passam mais tempo com seus pares do que o politicamente necessário; o rico viajante, que não é governado pela semana de trabalho dos executivos e que passa o seu tempo perambulando de um lugar de veraneio para outro; expatriados, empregados ou não, que geralmente vagueiam nas proximidades dos PX* e do American Express; os apóstatas da assimilação étnica, educados ao mesmo tempo no mundo da sociedade-mãe e da sociedade de seus pais, e que resolutamente se afastam dos caminhos de mobilidade convencionais que lhes são abertos, revestindo a sua socialização de escolha pública com aquilo que muitos normais veem como uma capa grotesca de ortodoxia religiosa; o homem metropolitano solteiro ou o casado que não aproveitam uma oportunidade para constituir família, e, em vez disso, apoiam uma sociedade vaga que está se rebelando, embora em termos moderados e por pouco tempo, contra o sistema familiar. Na maior parte desses casos, há alguma mostra de desafiliação, semelhante à de excêntricos e cultistas, proporcionando, assim, uma fina linha que pode ser desenhada entre eles e os destoantes que se encontram no outro extremo, ou seja, os desafiliados pacíficos — os que praticam um *hobby* e são tão interessados nele que lhes sobra uma pequena casca de vínculos civis, como é o caso

---

cial e espiritualmente da comunidade. (Sobre esse último exemplo, ver Reiss, *op. cit.*). Se o termo homossexual é usado em referência a alguém que se engaja num tipo particular de ato sexual, então é necessário um termo como "homossexualista" para designar alguém que participa de um tipo particular de comunidade desviante.

* Tipo de supermercado americano, que é encontrado no exterior. (N.T.)

de alguns colecionadores de selo, jogadores de tênis e fanáticos por carros esporte.

Os desviantes sociais, conforme definidos, ostentam sua recusa em aceitar o seu lugar e são temporariamente tolerados nessa rebeldia, desde que ela se restrinja às fronteiras ecológicas de sua comunidade. Como os guetos étnicos e raciais, essas comunidades constituem um paraíso de autodefesa e um lugar onde o indivíduo deslocado considera abertamente a linha em que se encontra como tão boa quanto qualquer outra. Mas, além disso, os desviantes sociais sentem amiúde que não são simplesmente iguais a, mas melhores do que os normais, e que a vida que levam é melhor do que a vivida pelas outras pessoas que, de outra forma, eles seriam. Os desviantes sociais também fornecem modelos de vida para os normais inquietos, obtendo não só a sua simpatia mas também adeptos. (Os cultistas também adquirem convertidos, é claro, mas o foco está em programas de ação, e não em estilos de vida.) Os interessados podem converter-se em companheiros de viagem.

Teoricamente, uma comunidade desviante poderia vir a desempenhar para a sociedade em geral algumas das mesmas funções desempenhadas por um desviante intragrupal para o seu grupo, mas, embora isso possa ocorrer, ninguém ainda parece tê-lo demonstrado. O problema é que a ampla área de onde são recrutados os indivíduos para uma comunidade desviante não tem, em si mesma, a nitidez de um sistema, uma entidade com necessidades e funções, como ocorre com um pequeno grupo de contato face a face.

Dois tipos de destoantes foram aqui considerados: os desviantes intragrupais e os sociais. Dois tipos próximos de categorias sociais devem ser mencionados. Em primeiro lugar, os grupos minoritários étnicos e raciais:[8] indivíduos que têm uma história e uma cultura comuns (e, com frequência, uma origem nacional comum), que transmitem sua filiação ao longo de linhas de descendência, numa posição que lhes permite exigir sinais de lealdade de alguns dos membros, e numa posição relativamente desvantajosa na sociedade. Em segundo lugar,

---

[8] Para um tratamento analítico recente, ver E. Glass, "Insiders-Outsiders: The Position of Minorities", *New Left Review*, XVII (Inverno, 1962), 34-35.

há os membros da classe baixa que, de forma bastante perceptível, trazem a marca de seu *status* na linguagem, aparência e gestos, e que, em referência às instituições públicas de nossa sociedade, descobrem que são cidadãos de segunda classe.

Fica bem claro, então, que os desviantes intragrupais, os desviantes sociais, os membros de minorias e as pessoas de classe baixa algumas vezes, provavelmente, se verão funcionando como indivíduos estigmatizados, inseguros sobre a recepção que os espera na interação face a face, e profundamente envolvidos nas várias respostas a essa situação. Isso ocorrerá pelo simples fato de que quase todos os adultos são obrigados a manter relações com organizações de serviço, não só públicas como comerciais, onde se supõe que prevaleça um tratamento cortês, uniforme, com base limitada apenas à cidadania, mas onde surgirão oportunidades para uma preocupação com as valorações expressivas hostis baseadas num ideal virtual de classe média.

Deveria ficar claro, também, entretanto, que uma consideração completa de qualquer uma dessas quatro categorias nos leva além e nos afasta do que é necessário considerar na análise do estigma. Por exemplo, há comunidades desviantes cujos membros, sobretudo quando longe de seu meio, não estão particularmente preocupados com sua aceitação social e, portanto, são difíceis de serem analisados em referência à manipulação do estigma; um exemplo disso poderia ser certos meios nas praias da América onde podem ser encontrados os jovens envelhecidos que não estão dispostos a se contaminar pelo trabalho e que se entregam, espontaneamente, a várias formas de cavalgar sobre as ondas. Nem se deve esquecer que, além das quatro categorias mencionadas, há algumas pessoas incapacitadas que não são absolutamente estigmatizadas, por exemplo, a pessoa casada com um alguém mesquinho e egoísta, ou alguém que ainda não desfruta uma posição cômoda e deve criar quatro filhos,[9] ou o indivíduo cuja desvantagem física (por exemplo, uma ligeira deficiência auditiva) interferiu em sua vida, embora todo mundo, inclusive ele próprio, não tenha consciência dessa sua incapacidade.[10]

---

[9] Toynbee, *op. cit.*, Caps. 15 e 17.

[10] Encontra-se um exemplo em Henrich e Kriegel, *op. cit.*, pp. 178-180.

Argumentei que as pessoas estigmatizadas têm muito em comum entre si, o que permite classificá-las em conjunto para fins de análise. Foi feita, assim, uma extração nos campos tradicionais dos problemas sociais, raça e relações étnicas, desorganização social, criminologia, patologia social e desvio — uma extração de algo que todos eles têm em comum. Essas características usuais podem ser organizadas tendo como base alguns poucos supostos sobre a natureza humana. O que permanece em cada um dos campos tradicionais poderia, então, ser reexaminado pelo que realmente é específico nele, trazendo, portanto, uma coerência analítica ao que, no momento, é uma unidade histórica e fortuita. Sabendo o que os campos como as relações raciais, o envelhecimento e a saúde mental têm em comum, podemos então ver, analiticamente, em que reside a sua diferença. Talvez, em cada caso, a alternativa fosse manter as velhas áreas substantivas, mas pelo menos ficaria mais claro que cada uma delas é simplesmente uma área à qual se devem aplicar várias perspectivas, e que o desenvolvimento de qualquer uma dessas perspectivas analíticas coerentes não virá, provavelmente, daqueles que restringem o seu interesse exclusivamente a uma área substantiva.

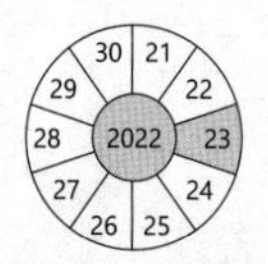
30
21
29
22
28
2022
23
27
24
26
25